Os pensadores originários

Dados Internacionais de Catalogação na Publicação (CIP)
(Câmara Brasileira do Livro, SP, Brasil)

Anaximandro
Os pensadores originários / Anaximandro, Parmênides, Heráclito ; introdução de Emmanuel Carneiro Leão ; tradução de Emmanuel Carneiro Leão e Sérgio Wrublewski. – Petrópolis, RJ : Vozes, 2017. – (Vozes de Bolso)

Título original : Os pensadores originários

Bibliografia.

1ª reimpressão, 2020.

ISBN 978-85-326-5544-8

1. Filosofia antiga I. Parmênides. II. Heráclito, de Éfeso. III. Leão, Emmanuel Carneiro. IV. Título V. Série.

17-06223 CDD-182

Índices para catálogo sistemático:

1. Pré-socráticos : Filosofia antiga 182

Anaximandro
Parmênides
Heráclito

Os pensadores originários

Introdução de Emmanuel Carneiro Leão

Tradução de Emmanuel Carneiro Leão e
Sérgio Wrublewski

Vozes de Bolso

Rua Frei Luís, 100
25689-900 Petrópolis, RJ
www.vozes.com.br
Brasil

Editoração: Fernando Sergio Olivetti da Rocha
Diagramação: Sheilandre Desenv. Gráfico
Revisão gráfica: Nilton Braz da Rocha/Nivaldo S. Menezes
Capa: visiva.com.br
Arte-finalização: Ygor Moretti
Ilustração de capa: © Kamira | Shutterstock

ISBN 978-85-326-5544-8

Editado conforme o novo acordo ortográfico.

Este livro foi composto e impresso pela Editora Vozes Ltda.

Sumário

Apresentação

Originários são os pensadores que, no que pensam, sempre encontram a realidade dando origem a tudo em tudo. Pensar assim, como pensam os pensadores, não é conhecer no sentido de determinar relações e funções. Também não é refletir sobre a origem nem representar processos. Há uma diferença no modo de ser entre remontar à origem de alguma coisa na e da realidade e refletir a origem de alguma coisa em outra coisa. No primeiro caso, temos o pensamento originário; no segundo caso, temos um conhecimento etiológico. O que é, então, pensar, se não for conhecer, representar, refletir?

Pensar vem do verbo latino *pendere*, cujo particípio passado é *pensum*. *Pendere* significa pendurar, prender; e *pensum*, pendurado, pendido. Ainda no latim formou-se o substantivo *pensum*, que diz, propriamente, o pendurado, a quantidade de lã que se pendura para a tarefa de tecer e fiar por um dia. Daí, em sentido metafórico, *pensum* dizer a tarefa, o encargo.

É de toda esta experiência que provém o verbo pensar. A concentração da tecelagem remete, sempre de alguma maneira, além dos fios e da tecitura, para a totalidade do real, o universo das realizações e o todo da realidade. Assim, quando, num ferimento, se rompeu o tecido das células, pensar a ferida não diz, em primeiro lugar, refletir ou representar, nem calcular ou raciocinar nem determinar relações e instituir funções. Diz amarrar para restaurar o tecido, a tecelagem das células, de maneira a permitir a passagem das várias correntes: a corrente do sangue, a corrente dos estímulos, a corrente bioelétrica, a corrente bioquímica. É no exercício radical desta restauração da realidade nas realizações que reside o ofício do pensamento. Neste sentido, todo pensamento é integrador; aglutina sempre o real com a realização. E quando a aglutinação restitui à realização do real sua proveniência no mistério da realidade, temos um pensador originário. Anaximandro, Parmênides e Heráclito são os pensadores originários da história do Ocidente. São tecelões da realidade. Pensam, numa copertinência essencial, o real em sua realização. Pensar o real em sua realização originariamente é tecer a realidade nas peripécias de sua vigência e nas vicissitudes de sua irrupção.

Emmanuel Carneiro Leão

Introdução

I – O pensamento originário

Pensamento originário é o título de um questionamento que procura pensar o pensamento dos primeiros pensadores gregos. *Tales, Anaximandro* e *Anaxímenes, Zenão* e *Xenófanes, Heráclito* e *Parmênides* viveram aproximadamente entre os fins do século VII e os meados do século V a.C.

1) Já foram intitulados de pré-aristotélicos, pré-platônicos e pré-socráticos. Sob a correção cronológica do prefixo, pré-, se escamoteia uma perplexidade de pensamento. Em Sócrates, Platão e Aristóteles se inaugura uma de-cisão histórica. A decisão das diferenças que, sendo já em si mesma metafísica, instala o domínio da filosofia em toda a história do Ocidente.

Trata-se de uma de-cisão que vive da perplexidade em pensar a identidade como identidade e não como igualdade, isto é, que vive da dificuldade de se encontrar com a identidade no próprio seio das diferenças. Esta de-cisão, ao instituir as dicotomias de um comparativo ontológico, se pronuncia pelo ser contra o nada, pela essência contra a aparência, pelo bem contra o mal, pelo inteligível contra o sensível, pelo permanente contra o mutável, pelo verdadeiro contra o falso, pelo racional contra o animal, pelo necessário contra o contingente, pelo uno contra o múltiplo, pela sincronia contra a diacronia. No poder de seu jogo é uma de-cisão que se de-cide pela filosofia contra o pensamento.

Esta de-cisão metafísica não é um presente para sempre passado nem se reduz a simples fato de um passado encoberto pela poeira de dois mil e quatrocentos anos. É mais do que objeto de curiosidade historiográfica. Mais do que uma relíquia no museu do Ocidente. É um passado tão vigente que constitui a fonte de onde vivemos hoje, a tradição, que nos sustenta. Seu vigor histórico promoveu as transformações, as experiências e as interpretações de quase 25 séculos. Deu lugar a motivos orientais. Concebeu o cristianismo. Provocou o humanismo, o esclarecimento e a ciência moderna.

É esta mesma de-cisão que estabelece até hoje a filosofia de Sócrates, Platão e Aristóteles como critério na escolha, interpretação e avaliação dos primeiros pensadores gregos. Os problemas, as concepções e os conceitos de Sócrates, Platão e Aristóteles, transformados pelas ciências modernas, servem de parâmetro para se medir o nível filosófico de todos os gregos de antes e depois da segunda metade do século V. Em pacientes pesquisas filológicas, historiográficas e linguísticas busca-se reconstruir a lógica, a ética e a física arcaica sem se levar em conta que só há uma lógica, uma ética e uma física na tradição de ensino das escolas clássicas. Não se permite que os primeiros pensadores gregos sejam pensadores. Têm de ser filósofos, iguais a Sócrates, Platão e Aristóteles, ainda que só o sejam de forma arcaica, isto é, primitiva. Por isso mesmo só podem ser pré-socráticos ou pré-platônicos ou pré-aristotélicos. Assim, nestes títulos, o pré- não possui apenas sentido cronológico, mas sobretudo axiomático. É o axioma de implantação da filosofia na decadência do pensamento.

2) Não é possível pensar o pensamento dos primeiros pensadores gregos só com os recursos da ciência e da filosofia. Toda historiografia

já é sempre uma filosofia da história, quer o saiba ou não. Uma investigação de pensamento, que não pretender negar-se a si mesma como pensamento, tem necessariamente de ser uma restauração da mesma empresa. "Mesma", no entanto, não diz aqui igual. Diz idêntica nas vicissitudes de mundos diferentes. Quem na interpretação de um pensamento se ativer exclusivamente aos textos e se limitar apenas ao sentido objetivo, destruirá precisamente o que constitui o vigor de seu esforço de pensar. As palavras e os textos são função do pensamento, como este é função do que, provocando a pensar, o torna possível como pensamento. Não há outra maneira de se interpretar um pensamento do que pensá-lo nas relações de identidade e diferença com a coisa de suas próprias virtualidades. Apreender-lhe o vigor histórico será sempre um esforço de abrir, através do diálogo, horizontes diferentes para um novo principiar do mesmo mistério. Por isso a história do pensamento é uma tarefa exclusiva de pensadores.

Neste sentido a presente investigação não quer ser uma obra de historiografia filosófica. Pretende levar a sério que os primeiros pensadores gregos são pensadores e não filósofos. O destino histórico de seu pensamento não provém da objetividade dos conhecimentos, mas do vigor do pensamento. Por isso o caminho a seguir é o caminho de um diálogo a partir da própria coisa do pensamento. Procurar-se-á atingir o centro do diálogo para da perspectiva central entender e interpretar os fragmentos. Pois de que outra maneira poder-se-ia apreender-lhes o pensamento senão pensando?

No horizonte deste questionamento o pensamento dos primeiros pensadores gregos revela uma profundidade atual em que as questões arroladas e as preocupações moventes acenam para o mistério vigente de sua verdade, de outro modo imperceptível. Em consequência, se encolhe a distância cronológica de mais de dois mil e quinhentos anos, que deles nos separa. A estranheza destes pensadores deixa de nos ser externamente estranha para afirmar-se como nossa própria estranheza. É então que nos sentimos conosco quando estamos com eles. Pensar o pensamento dos primeiros pensadores já não equivale a pesquisar nos fragmentos legados as ideias que passaram pelo cérebro de gregos dos séculos VI e V a.C. Será experienciar a decadência planetária de pensamento em que hoje nos debatemos. Trata-se de uma decadência tão decadente que grande é o risco de perdermos até as condições de identificar a decadência e apreciá-la como decadência.

3) No século VI a religião, a política, a educação gregas exercem determinada consciência da poesia e mitologia *Ὅγηρος τὴν Ἡλλάδα πεπαίδευκε*. Prisma e espelho, nesta consciência, se refletem e analisam as peripécias de verdade e não verdade da existência grega. Denunciando a miopia da consciência vigente, os primeiros pensadores se lançam a pensar reciprocamente as diferenças de religião e política, de educação e habilidade, de poesia e mito pela identidade do pensamento, pensando a copertinência de ser e pensar. Para nós, filhos do petróleo e da técnica, tardos em pensar, tornou-se ainda mais difícil este mistério da identidade numa época de poluição e consumo. E por quê? Porque temos os ouvidos tão poluídos de ciência e filosofia, temos olhos tão consumidos pelas utilidades que já não podemos ver o mistério da pobreza nem ouvir a voz do silêncio no alarido do desenvolvimento. Desconhecemos o paradoxo da revolução do pensamento. Já quase não temos sensibilidade para as vibrações de nosso destino. E isso, não tanto porque, absorvidos pelas solicitações do consumo, quase não pensamos, mas sobretu-

do porque, quando pensamos, quase inevitavelmente o fazemos nos moldes da filosofia e da ciência.

O pensamento está sempre em tensão: com a consciência, a filosofia, a ciência, a técnica, o bom-senso, a ideologia, o mito, a religião, a arte, consigo mesmo. Em todas suas tensões o pensamento, sendo um apelo e um desafio de libertação, é logo desprezado. Pois comparado com a moda, nunca está em voga. Para o desenvolvimento econômico só contribui com o Nada. No mundo dos negócios é um ócio de outro mundo. Na vida do trabalho não serve para bater um prego. De fato, com todos esses propósitos não se poderia dar melhor demonstração da inutilidade do pensamento. Realmente, pensar é inútil, caso já esteja decidido, o que é o útil. Realmente, o pensamento é imprestável caso já esteja estabelecido que tijolo e cimento armado são mais reais do que o mistério de ser. Realmente, o pensamento é indesejável, caso já esteja acertado que crescer é aumentar de tamanho ou subir as séries de uma escala. Realmente, pensar é alienante, caso já esteja descontado o que é o homem. Realmente, pensar é contraproducente, caso já esteja resolvido que o coração é apenas uma bomba e o homem, um tubo digestivo com entrada e saída.

Não apenas os beócios é que não pensam. Os próprios atenienses renunciaram ao pensamento quando em Sócrates, Platão e Aristóteles a filosofia inaugurou sua avalanche histórica. Para Hegel, a filosofia é uma época concentrada em pensamentos. Para os primeiros pensadores, pensar é acordar o não pensado, acionar a inércia de pensamento de uma tradição histórica. E o que fizeram recuperando a tragédia da poesia e mitologia vigente na consciência de sua época, da religião, da política, da educação. Na crítica aos poetas, aos mitos e cultos buscavam desinstalar a consciência de uma luz sem sombras, de uma verdade sem mistério, de um dia sem noite, de uma vida sem morte. O pensamento surgiu quando o trágico obscureceu a claridade do racional e do irracional, do físico e do político, do mito e do culto, do desespero e da salvação.

Só não devemos entender o trágico no sentido filosófico da tradição. Neste sentido, tragédia é desgraça, a queda das alturas, a transformação súbita ou paulatina da glória em sofrimento. Trágico é o abandono desesperado do homem às forças da natureza, à vontade dos deuses, à fatalidade do destino. Onde impera a desolação, onde não há salvação humana possível, há tragédia. Apesar de fundamentais diferenças, os mistérios de Elêusis, a razão filosófica, a pregação do cristianismo, o poder da ciência, o progresso da técnica, a força do trabalho, a sociedade sem classes aceitaram este sentido de trágico e procuraram dar cobro à tragédia da condição humana com um evangelho de salvação. A situação de Jó, sentado num monturo de esterco a raspar as chagas do corpo, não é trágica. Jó não é um aniquilado. Vive da fé no Senhor: "O Senhor deu, o Senhor tirou, louvado seja o nome do Senhor". Em sua atitude de confiança não há tragédia. Tudo que lhe parece sem saída, possui um desígnio de salvação na sabedoria, na bondade e na justiça de Deus. Sempre que se crê numa salvação, seja da parte da religião ou da filosofia, seja da parte da ciência ou do trabalho, seja da parte do progresso ou da sociedade, a existência perde os acentos trágicos, apesar de todo sofrimento, de toda desventura, de todas as lutas. Nenhuma dor é tão desesperada, nenhuma desgraça é tão desolada que já não haja salvação. O sentido filosófico de tragédia se orienta pelo homem. Restringe-se a determinada linguagem da condição humana.

A consciência de poesia, de mito, de política, de educação e culto que reinava no século VI a.C., prende-se a este sentido humano da tragédia. O pensamento dos primeiros pensadores gregos questiona-lhe o humanismo, buscando restituir o mistério da tragédia originária. Trágico é o jogo de Dionísio na identidade universal das diferenças. A tragédia não é uma condição simplesmente humana. É o ser da própria realidade. A totalidade do real, o espaço-tempo de todas as coisas, não é apenas o reino aberto das diferenças, onde tudo se distingue de tudo, onde cada coisa é somente ela mesma, por não ser nenhuma das outras, onde os seres são indivíduos, por se definirem em estruturas diferenciais. A totalidade do real é também o reino misterioso da identidade, onde cada coisa não é somente ela mesma, por ser todas as outras, onde os indivíduos não são definíveis, por serem uni-versais, onde tudo é uno – Frag. 50: *ἓν πάντα*. No movimento de sua realização, a realidade é tanto o horizonte em expansão da luz de todas as singularidades como a uni-versalidade protetora da noite, onde todos os gatos são pardos. A noite dá à luz os indivíduos para no fim do dia os recolher em seu seio materno. O mundo é a articulação das diferenças de Dionísio Zagreu, dividido e fragmentado, com a identidade de Hades, simples e indiferenciado. Na tensão desta tragédia o homem assume as dimensões ontológicas de uma uni-versalidade individual. E a coisa mais estranha do mundo, *τὸ δεινότατον*. Nele advém a si mesma a estranheza do próprio mundo. Sua existência é um contínuo romper e prorromper de estruturas nas quais lhe é dada uma fisionomia, um sentido, uma lei. Tanto nos indivíduos como nas comunidades, a constituição humana transcende o querer das vontades porque quer sempre a ordem e con-juntura do cosmos. O homem não é micro-cosmos no sentido de miniatura do mundo. O homem é micro--cosmos no sentido de con-juntura da identidade, isto é, de con-juntura em que se juntam as diferenças no ser de tudo que é. E-ducar é e-duzir, ex-trair da individualidade de cada um a conjuntura uni-versal do mundo: παιδεία. O paradigma da paideia, os gregos o buscam na luta de seus mitos entre as forças noturnas da terra e as forças diurnas do céu, entre os titãs e os olímpios. Em estórias profundas de deuses e heróis, a mitologia grega narra as vicissitudes desta luta do princípio luminoso do espírito contra o princípio tenebroso da natureza. Os feitos de Hércules são os feitos da existência grega no caminho da paideia.

Para os primeiros pensadores este para-digma é ainda humanista. Não atinge a tragédia originária. Trata-se de um apo-digma. Reflete no país dos homens o embate misterioso entre os poderes da Physis, mas sem poder pensá-la como Physis – aqui. Aquém da configuração de determinados deuses, mais originário do que os próprios deuses, é o combate da identidade nas diferenças de dia e noite, de vida e morte, de caos e eros, levado para a linguagem em palavras como *χρεών*, *μοῖρα*, *ἀνάγκη*, *λήθη*, de um lado, e *Ζεῦς*, *Ἥλιος*, *Λόγος*, *Νοῦς*, de outro. É o combate originário do mundo que instala todas as diferenças nas estalas de suas identidades. Heráclito o pensou como *polemos*, como guerra: "De todas as coisas a guerra é pai; de todas as coisas é senhor; a uns mostrou deuses, a outros, homens; de uns fez escravos, de outros, livres" (Frag. 53). Não suportando o combate originário do pensamento, a consciência vigente ouve nos feitos de Hércules apenas a fama e vê somente a vitória do herói. No entanto, Hércules nunca é vencedor definitivo. Não pôde suplantar o princípio noturno-feminino da terra. Por muito tempo é escravo de Ônfale. Necessita da ajuda das Hespérides e morre na túnica de Nessos, que lhe dera Dejanira. Também Zeus, o deus diurno do raio, não é um vitorioso definitivo. Seu domínio se funda na força dos Titãs que sustentam o Olimpo. E que a luz recebe a luminosidade de seus raios do combate com as trevas. Uma claridade sem sombras é uma onipotência impotente. Não ilumina, cega. Luz e trevas, espírito e matéria, história e natureza, céu e terra, racional e irracional, ordem e caos, eros e penia recebem a potência de seus poderes de ser de um combate sem tréguas. Neste combate originário toda vitória é aparente. Trata-se apenas de fenômeno de superfície.

E, não obstante, a pretensão de uma vitória definitiva do princípio racional da luz, de um império eterno do Olimpo de Zeus, que alimenta a religião e a mitologia dos primeiros tempos, vai servir de base para a fundação da filosofia de Sócrates, Platão e Aristóteles, quando o pensamento trágico dos pensadores dos séculos VI e V chegar gloriosamente ao fim nas grandes tragédias. A filosofia surge então como ocaso do Oriente e aurora do Ocidente na história grega. Vespertinos do Dia Ocidental, já não sentimos com tanta facilidade a profundeza de revolução que significou a filosofia para toda a existência dos gregos. Estamos plantados num solo, cuja solidez devemos precisamente à ruptura metafísica no curso do pensamento e da poesia. O que dessa ruptura prorrompeu, como estrutura e modelo de mundo, como princípio e técnica de conhecimento, como gramática e lógica de linguagem, como norma e conceito de valor, nos determina mais radicalmente do que costumamos suspeitar. Seguimos na esteira da metafísica ainda quando não queremos nada com filosofia e nos entregamos de corpo e alma a fazer guerra para podermos respirar o ar poluído pelos derivados de petróleo, ouvir os altos decibéis de uma civilização motorizada ou absorver as massagens dos meios eletrônicos de comunicação de massa.

4) Cronologicamente os primeiros pensadores gregos distam de nós hoje mais de dois milênios e meio. Se, para lhes alcançar o pensamento, tivéssemos de transpor toda esta distância, não haveria ponte ou transporte que nos valesse. Mas uma transferência cronológica não é aqui apenas impossível e inútil. E sobretudo desnecessária. Pois o pensamento desses pensadores não é originário pelo que pensaram e sim pelo que não pensaram, mas foram pro-vocados a pensar tudo que pensaram. Na própria distância nos chega uma pro-vocação para pensar na medida em que o pensamento se retrai. Pois retrair-se não é um nada puramente negativo. Retraimento pertence à dinâmica do próprio pensamento. O que se retrai até nos afeta e reivindica com mais vigor do que qualquer objeto. Um objeto apenas nos toca e atinge a pele, embora tocados pelo objeto quase sempre nos insensibilizemos, para o que nos afeta. E nos afeta de um modo tão estranho que, ao tocar-nos como objeto, se retrai como mistério. O que assim se retrai é o que nos arrasta. No arrastão do retraimento estamos na tração do que, retraindo-se, nos atrai. Atraídos pelo que se retrai, somos também o que não somos. Pela atração do que se retrai, nosso ser pensa, em tudo que somos e não somos, a pro-vocação do mistério, a dinâmica do retraimento. Pensar é significar, na pro-vocação do mistério. Disso nos fala Heráclito no Frag. 93: "O Autor, de quem é o oráculo de Delfos, não diz nem subtrai nada, assinala o retraimento". Na significação do retraimento somos o significante do mistério. Ora, o que, em seu próprio vigor de ser, significa o mistério, é o pensamento. Na tração do retraimento, o homem é pensador. E porque o pensamento não indica apenas o que se retrai mais, ao fazê-lo, significa sobretudo o próprio mistério, todo pensamento tem um sentido que nos escapa. E

a *physis* do pensamento, evocada por Heráclito no Frag. 123: φύσις κρύπτεσθαι φιλεῖ. Nesse sentido, o pensamento dos primeiros pensadores nos chega na distância cronológica de dois mil e quinhentos anos, enquanto se retrai, como pensamento, pois, retraindo-se, nos atrai a pensar.

O que assim nos é dado livra-nos também da arbitrariedade no esforço de pensar-lhes a originariedade de pensamento. Pois o que hoje nos é dado, como pro-vocação para pensar, é a filosofia ocidental na forma da ciência moderna. Os recursos da filologia clássica, da historiografia literária, da linguística e arqueologia nos possibilitam recuperar os fragmentos dispersos nas vicissitudes da tradição. Os caminhos da ciência constituem uma via em que se torna acessível a historicidade da história. Seguindo o modelo de pesquisa da ciência, as diversas investigações submetem os documentos conservados a um processamento que visa a constatar, analisar, aproveitar e interpretar as fontes, para assim assegurar e estabelecer os textos originais. É o processo conhecido com o nome de crítica das fontes e dos textos. Não se trata de simples relato das fontes nem de mero levantamento dos textos. Todo o esforço converge para tornar objetiva a historicidade. Na história, porém, só é objetivo o que se deixa comparar, uma vez que, na comparação de tudo com tudo, se chega a uma explicação. Por isso também a possibilidade de comparação vale como modelo de objetividade histórica. O alcance das pesquisas só se estende até onde vai a comparação, base da explicação que processa em objetividade a história. Sendo incomparável, o único, o simples, o original, em uma palavra, o extraordinário na história permanece inexplicável e, como tal, fora da história ou, quando não é explicitamente excluído, é então explicado como exceção. Nesse tipo de explicação, o extraordinário é reduzido ao ordinário e, dessa maneira, eliminado da história. E não há alternativa para as pesquisas historiográficas, enquanto explicar supuser comparação, visando à objetividade, e pesquisa significar explicação. Porque a ciência histórica objetiva a história numa estrutura de explicação, exige e impõe como processo de objetividade a crítica das fontes e dos textos. As pesquisas historiográficas computam o por-vir pelos modelos de objetividade do passado, processados explicativamente no presente. Nas programações da computação historiográfica não há futuro, por se destruírem as condições de advento do inesperado. Pois o inesperado também é esperado. Só não pode ser computado. É o que nos recorda o Frag. 18 de Heráclito: "Se não se espera, não se encontra o inesperado, sendo sem caminhos de encontro nem vias de acesso".

5) Para, nos caminhos da ciência, chegarmos à via da historicidade, temos de aprender a pensar no meio do próprio des-espero da ciência que, não tolerando esperar, se atropela na impotência de seu poder em alcançar o mistério do pensamento. Um maior conhecimento crítico dos textos estabelecidos, uma explicação mais objetiva dos contextos sociais não nos ajudam a pensar o pensamento dos primeiros pensadores, se todo este esforço científico não tiver por pre-texto um diálogo a partir da coisa do pensamento. Sem o pre-texto de pensar, os recursos da ciência se tornam uma luz que tanto mais obscurece quanto mais esclarece. Pois pretender explicar o pensamento de um texto pela comparação com outros textos equivale a procurar esclarecer a veracidade de uma notícia de jornal, conferindo o maior número possível de exemplares da mesma edição. Mas o obscurecimento da ciência não provém de desleixo ou falhas nos métodos das pesquisas científicas. Deve-se ao abismo da con-juntura em

que o mistério do pensamento envia a via histórica do Ocidente. Por isso se impõe sobretudo questionar o próprio poder da ciência em sua impotência de pensar. É o que nos proporciona uma hermenêutica originária.

O verbo *ἑρμηνεύειν* significa trazer mensagens. *Ὁ ἑρμηνεύς*, o mensageiro, pode ser posto em referência com Hermes, o mensageiro dos deuses. Ele traz e transmite a mensagem do destino que trama as vicissitudes da história de homens e deuses. Nem toda interpretação é uma hermenêutica. Somente a que descer até o vigor do mistério que estrutura a história. Na hermenêutica, a interpretação procura, retornando-lhe à proveniência, recuperar o vigor originário do pensamento. Originário, porque foi a redução deste vigor que deu origem à filosofia de Sócrates, Platão e Aristóteles, de quem a ciência é uma transformação histórica. Nesta perspectiva, o problema da ciência não é apenas um problema de epistemologia. A verdade da ciência não é apenas um resultado entre outros resultados ou o conjunto de todos os resultados. É inseparavelmente o vigor do mistério e o vigor da verdade. O pensamento procura levar a sério a radicalidade de sua errância e sente no estrangeiro a nostalgia da pátria. Não rejeita a ciência com a onipotência de quem rejeita o bárbaro e primitivo. Para pensar, o pensamento sente a dependência de uma pro-vocação de sua coisa. Aceita sua decadência na filosofia e na ciência como uma outra infância, como um novo principiar da identidade do mistério.

A hermenêutica originária exige despojarmo-nos de tudo quanto julgamos já saber sobre o pensamento dos primeiros pensadores gregos. O que geralmente julgamos saber advém-nos da tradição platônico-aristotélica: os primeiros pensadores, quando perguntavam pelos princípios da realidade, tomavam por objeto de especulação sobretudo a natureza. No termo de Aristóteles, eram *φυσιολόγοι*. Suas concepções eram ainda primitivas e ingênuas, se comparadas com o conhecimento da natureza alcançado pelas escolas de Platão e Aristóteles, pelos estoicos e nas escolas médicas posteriores. Uma interpretação, que se desenvolver no espaço destas pressuposições, não poderá deixar de ver nos primeiros pensadores simples precursores da filosofia de Sócrates, Platão e Aristóteles. Pois é dessas pressuposições que nos afastamos para, numa hermenêutica originária, pensarmos o pensamento destes pensadores a partir da própria coisa do pensamento. O único indício, que nos servirá de guia, se reduz apenas ao que é e pretende ser um pensamento originário.

Um pensamento originário é a coragem de descer às raízes das próprias possibilidades de pensar. Um pensamento originário é um pensamento radical. Procura interpretar os modos de ser da realidade, restituindo as estruturas de suas diferenças à identidade do mistério. O modo de ser, que nos apresenta como presente, não é originariamente um determinado presente cronológico. É tão antigo como a história. Algo, que é e sempre foi como é, por mais que se recue no tempo, é reconduzido ao vigor de um destino que estrutura a dimensão radical do Ser e por isso remonta para além de toda memória historiográfica. É a partir deste diapasão que nos fala o pensamento originário. O que é e como é o espaço-tempo de todas as coisas nas diferenças de seus modos presentes de ser é pensado num pensamento re-velador da identidade no mistério das dicotomias de ser e não ser, de movimento e permanência, de uno e múltiplo, de aparência e verdade. O propósito desta hermenêutica não é corrigir ou substituir-se à ciência. Nem mesmo é o diálogo pelo diálogo, mas exclusivamente o que no diálogo se faz linguagem: a identidade que misteriosamente reivindica, de modo diferente, a nós modernos e aos gregos antigos, por ter aviado a aurora do pensamento no dia do Ocidente. É na viagem deste dia que o pensamento dos primeiros pensadores se faz originário. Originário não diz, portanto, uma determinação cronológica nem indica uma explicação diacrônica do modo de ser ocidental. Originária é a aurora em que a própria escuridão do Ser se dá em sempre novas vicissitudes de sua verdade, ora como pensamento ora como filosofia, ora como cristianismo ora como modernidade, ora como ciência ora como mito, ora como técnica ora como arte, ora como planetariedade ora como marginalidade, mas sempre em qualquer *ora*, tanto outrora como agora, só se dá enquanto se retrai como mistério.

II – Os fragmentos e suas edições

1) Os *fragmentos*. Cerca de mais de dois séculos depois, os primeiros pensadores gregos eram chamados de *φυσικοί* ou *φυσιολόγοι*, isto é, aqueles que falam e tratam da *φύσις*. Nas escolas de Platão e Aristóteles, *φύσις* é o nome de um setor da realidade, definido tecnicamente por oposição a *νόμος*, e *ἦθος* e *λόγος*. Como termo técnico, *φύσις* indica céu e terra, vegetais e animais e, em certo sentido, também o homem. São os entes físicos. No início da *φυσικὴ ἀκρόασις*, Auscultação, Física, Aristóteles distingue os *φύσει ὄντα*, os entes físicos, dos *τέχνῃ ὄντα*, dos entes técnicos. Aqueles são os entes que surgem e *se* mantêm por si mesmos. Estes são os entes produzidos pela ação e representação do homem. Assim *physio-lógoi* e *physikói* são nomes que, ao denominar, já encaminham a compreensão no sentido da filosofia de Platão e Aristóteles. Neste caminho erram os primeiros pensadores mesmo num tempo em que ainda subsistia integral o texto de seus

escritos. Hoje só lhes conhecemos os fragmentos. Filósofos: Platão e Aristóteles; historiadores da filosofia: Teofrasto, Sexto Empírico, Diógenes Laércio, Plutarco; escritores: João Estobeu, Ateneu, Estrabão; comentadores: Simplício, Próculo, Porfírio; Padres da Igreja, Hipólito, Clemente de Alexandria, Orígenes, aduzem, em suas obras, passagens dos escritos dos primeiros pensadores. As pesquisas filológicas e historiográficas modernas fizeram o levantamento de todas as passagens e, como fragmentos, as reuniram em edições críticas. Trata-se às vezes de períodos inteiros; outras, de algumas sentenças, às vezes, de uma sentença só; outras, de poucas palavras e até mesmo de palavras isoladas.

Muito frequentemente se pressupõe que os fragmentos sejam *fragmentos de pensamento*, como nos casos de trechos deteriorados de um papiro, onde se impõe um trabalho paciente de bricolagem. Na verdade não se trata de *fragmentos casuais*, mas *de fragmentos intencionais* em forma de citações. Uma citação serve para mostrar ou convalidar o próprio pensamento num con-fronto com o pensamento alheio. Nas citações, o discurso de quem cita é a luz que ilumina o pensamento citado. O conhecimento, que ministram, é o conhecimento de seu contexto. É o contexto das citações que determina a escolha dos textos e o modo de citá-los, abrindo espaço para uma dada interpretação. Aqui uma análise filológica e histórica, por mais acurada que seja, só nos pode dar o contexto das citações, nunca o contexto do original. O essencial nenhuma citação oferece: o princípio de estruturação dos escritos originais.

À dificuldade inerente a toda citação se vêm ajuntar outras, provenientes das condições culturais da Antiguidade. As obras antigas não são livros impressos. São *volumina*, no sentido literal do termo, isto é, manuscritos enrolados, de peso e tamanho consideráveis para o manuseio. Cedo se espalhou o costume de substituir os grossos *volumina*, por *compendia*, extratos e resumos, muito mais fáceis de compulsar. Assim, não era necessário ler a obra original. Bastava citar os compêndios, conhecidos desde o tempo de Hípias e produzidos em larga escala depois da fundação de Alexandria. Eram considerados substitutos adequados dos originais. Acresce, ainda, que o sistema de comunicação cultural vigente era predominantemente oral. Os antigos ainda não pertenciam à Galáxia de Gutenberg. Geralmente as citações eram feitas de memória. As deficiências deste método de citação aparecem quando se pode comparar duas ou mais citações de um mesmo fragmento. É o caso do fragmento 6 de Empédocles citado por Hipólito de maneira bem diferente do Sexto Empírico e Aécio. Felizmente, o próprio Hipólito sentiu a infidelidade da memória e acrescentou à citação as palavras de aviso: λέγων ὧδε πῶς, "dizendo, *de alguma maneira*, assim".

Por fim, o modo de citar dos antigos gregos é bem diferente do moderno. Um escritor grego nunca inicia uma citação diretamente, indicando onde começam e onde terminam as palavras do autor citado. Para o costume grego, citar é tecer as palavras originais num novo contexto, tornando assim muito difícil discernir o início e o fim do original. John Burnet lembrou este antigo costume a Diels que, na citação de Simplício da sentença de Anaximandro, não distinguiu as palavras de Simplício das palavras de Anaximandro.

Em suas *Preleções sobre a História da Filosofia*, diz Hegel das fontes de acesso aos primeiros pensadores gregos:

> Aristóteles é a fonte mais rica. Estudou expressa e profundamente os filósofos mais antigos e falou deles, em

sequência histórica, sobretudo no início de sua Metafísica (muitas vezes também em outros lugares). É tão filósofo como erudito; podemo-nos fiar dele. Para a filosofia grega, não há nada melhor a fazer do que tomar o primeiro livro de sua Metafísica.

A importância de pensamento desta indicação é ser ela fundamentalmente ambígua. Está em jogo a ambiguidade de uma provocação para pensar. Não se pode separar o filósofo do historiador. Aristóteles nunca faz história da filosofia sem filosofia da história, mesmo quando fala dos filósofos que o precederam nas peripécias do pensamento. Não pergunta pelas ideias que determinado filósofo tinha na cabeça. Isso não tem importância. Sua investigação é sempre e somente filosófica. Assim, quando a tradição lhe diz que para Tales a água (*ὕδωρ*) é o princípio (*ἀρχῆ*) de todas as coisas (*πάντων*), não se pergunta qual ideia de água e princípio podia ter tido Tales. Só se interessa pelo sentido filosófico da afirmação. Uma análise cuidadosa e erudita dos testemunhos de Aristóteles empreendeu H. Cherniss em seu famoso *Aristotle's Criticism of Presocratic Philosophy*, Baltimore, 1935. Das análises conclui que Aristóteles é a menos fiel de todas as testemunhas. E não é para menos. Em suas pressuposições implícitas Cherniss pretendia que Aristóteles deixasse de pensar quando falasse dos primeiros pensadores. Para ser historiador da filosofia teria de não ser filósofo. Se é verdade que Aristóteles pensa o pensamento dos primeiros pensadores na perspectiva da filosofia, é também verdade que, pondo em discussão tal pressuposto, nos dá um testemunho valioso do pensamento originário. Se é verdade que define os pensadores antigos no contexto de suas concepções e de seus termos filosóficos, é também verdade que nos faz sentir, na diferença entre pensamento filosófico e pensamento originário, a identidade da própria diferenciação. Se é um erro aceitar o testemunho de Aristóteles, como história sem filosofia, é também um erro recusá-lo, como filosofia sem história. Os dois provêm de uma mesma errância, pois ambos erram na pressuposição de que pode haver uma história sem pensamento ou um pensamento sem história.

Nesta pressuposição reside a única, mas também a deficiência fundamental da investigação de H. Cherniss, como se vê, da seguinte caracterização:

> Um dos métodos favoritos de Aristóteles é a tendência de desenvolver os "antecedentes necessários" ou as "consequências necessárias" de uma sentença antiga, assim como de reconstruir o escopo original da doutrina em discussão e o sentido por ela visado.

Aristóteles não se propõe extrair a perspectiva originária do pensamento antigo, nem apreender o significado pretendido pelo antigo pensador. Seu propósito é apenas de descobrir o sentido filosoficamente destinado de uma doutrina, tirando-lhe as consequências que o avio de identidade do pensamento lhe envia nas diferenças entre as vias do princípio e os des-vios do ocaso. O que hoje, como propósito, se impõe ao pensamento é pensar nas diferenças entre o pensamento originário e o pensamento filosófico e suas decorrências (a ciência, a técnica, a poluição etc.), o mistério da identidade no movimento da própria diferenciação histórica. Neste propósito nos valem mais os testemunhos de filósofos que pensam do que os testemunhos de qualquer outra fonte, que não pensa. É o sentido filosófico do conselho dado por Hegel a seus ouvintes nos primeiros decênios do século XIX. Por não pensar o que faz, quando trata dos testemunhos de Aristóteles, é que

Cherniss nega a existência de uma interpretação aristotélica e equipara o primeiro livro da Metafísica a toda passagem semelhante encontrada em qualquer outro lugar.

A queda de nível, que sofre o pensamento dos primeiros pensadores, quando se deixam os testemunhos de filósofos para se ater aos testemunhos de historiógrafos da filosofia, pode-se verificar na passagem de Aristóteles para Teofrasto. Discípulo e sucessor imediato do filósofo na direção do Peripatos, Teofrasto, de Ereso na Ilha de Lesbos, morreu pelo ano de 286 a.C. De seus escritos, o mais importante é *φυσικῶν δόξαι*, *As opiniões dos físicos*. Em 16 ou 18 livros, é um tratado sistemático das doutrinas antigas sobre os principais problemas da filosofia. Na Antiguidade gozou de uma influência ímpar, visível na frequência e consideração com que é sempre de novo indicado. Nas vicissitudes de citação dos primeiros pensadores, sua posição é fundamental, embora só tenha sido reconhecida depois que Hermann Usener lhe reuniu os fragmentos e Hermann Diels os comparou com os fragmentos dos outros doxógrafos. É praticamente a única fonte de nosso conhecimento textual dos primeiros filósofos, excetuando-se as citações de Aristóteles e Platão. Pois todos os fragmentos conhecidos de citações posteriores à morte do Estagirita remontam, quer direta quer indiretamente, às *φυσικῶν δόξαι*. Assim todas as demais testemunhas se revestem da autoridade de Teofrasto. A crítica histórica chega ao ponto de considerar intocável a fidelidade de um testemunho quando se pode demonstrar-lhe a origem *nas φυσικῶν δόξαι*.

Teofrasto não é, porém, uma testemunha isolada e independente. Mediante uma confrontação entre diversos fragmentos de *As opiniões dos físicos* e o texto da Metafísica A, Zeller, primeiro, e

Diels, depois, mostraram sua dependência de Aristóteles. A conclusão de Zeller é a seguinte:

> Em seu panorama da história da Física, Teofrasto se ateve em larga escala ao panorama dos princípios filosóficos, traçado por Aristóteles no primeiro livro da Metafísica, apesar da independência de saber e julgamento, que Teofrasto também aqui demonstra, e não obstante as modificações, que impunha a natureza especial de sua tarefa.

Em nome de uma história sem filosofia, grande parte da crítica histórica inverteu os valores e considerou a dependência de Teofrasto não como uma diminuição da autoridade do discípulo, mas como uma corroboração da autoridade do mestre pela aprovação do discípulo. É que, não sendo filósofo, Teofrasto seria um historiador mais objetivo por estar isento do defeito de pensar.

No tocante ao pensamento dos primeiros pensadores, uma investigação sobre a dependência de Teofrasto da Metafísica de Aristóteles nos convencerá fácil do contrário, caso naturalmente se dê conta da impraticabilidade de uma história sem pensamento. Justamente por não ser filósofo é que Teofrasto não pode dar um testemunho mais fiel, e a autoridade de suas citações advém da capacidade de pensar de Aristóteles. Senão, vejamos as conclusões a que nos leva um confronto de ambos:

1) Em sua perspectiva, organização e fraseologia, o tratamento dado por Teofrasto aos *φυσικοί* depende inteiramente do sumário proposto no primeiro livro da Metafísica. O que Teofrasto acrescenta, se reduz exclusivamente a uma compilação complementar do que Aristóteles já propusera em outras passagens de suas obras.

2) Esta prática de completar o sumário com as referências rápidas de outros contextos transforma muitas vezes os testemunhos de Teofrasto num emaranhado de confusão e contradição. Um exemplo por muitos. Na Metafísica, Aristóteles não se refere ao mecanismo das transformações que propunham os Milésios. Na Física, no entanto, afirma que todos os monistas explicam as transformações por condensação e rarefação. O que faz Teofrasto? Combinando uma passagem com outra, atribui a explicação da Física tanto a Anaxímenes como a Diógenes, tanto a Hípaso como a Heráclito, sem refletir que uma tal explicação é impossível para Heráclito.

3) As interpretações extraídas por Teofrasto dos textos de Aristóteles se limitam muitas vezes a uma ou duas das muitas propostas para uma teoria. O fator determinante da escolha é a maior disponibilidade dos dados.· Um critério, que nem faz justiça a Aristóteles nem é fiel à doutrina discutida, pois não permite distinguir entre interpretações conjeturais e interpretações reais.

4) A falta de cuidado, com que Teofrasto reproduz as sutilezas da linguagem filosófica, com baixar o nível das discussões, revela pouca sensibilidade histórica. Tem por consequência a transformação da cautela em certeza, das conjeturas em afirmações categóricas. É o caso das *ἀρχαί*, nos primeiros filósofos, às quais se refere Aristóteles como *τὰς ἐν ὕλης εἴδει...ἀρχάς*, "os princípios em *forma de matéria*", o que em Teofrasto se transforma simplesmente em matéria.

5) O hábito de tirar conclusões dos testemunhos de Aristóteles leva Teofrasto a falsas atribuições. Se, de acordo com o testemunho do Estagirita, o princípio de Tales e Hipo era a água, o de

Anaxímenes e Diógenes, o ar, e o de Hípaso e Heráclito, o fogo, conclui então Teofrasto que, ao discutir em outros contextos, doutrinas anônimas, cujos princípios são os quatro elementos, Aristóteles as está atribuindo também àqueles filósofos. O mesmo acontece quando se atribui determinada doutrina a dois filósofos: Teofrasto conclui logo que todas as vezes que, nas demais passagens, for mencionado um deles, o mesmo deve valer também para o outro. É assim que Teofrasto atribui a homeomeria de Anaxágoras a Anaximandro.

6) É também o que se verifica com as biografias. Teofrasto as deduz das afinidades doutrinais. Aristóteles estabelecera as relações lógicas entre as doutrinas dos Milésios, Eleatas e Atomistas. Teofrasto transforma estas afinidades lógicas em parentesco cronológico, criando um esquema de relações mestre-discípulo. Assim se originaram as séries: Anaximandro-Xenófanes-Parmênides--Leucipo-Demócrito e Tales-Anaximandro-Anaxímenes-Arquelau, ou ainda os elos Parmênides--Empédocles e Arquelau-Sócrates. A origem destas séries biográficas se encontra no pressuposto de uma continuidade na evolução da doutrina das *ἀρχαί*, que está à base do sumário da Metafísica. Pois os nexos biográficos de Teofrasto coincidem com o curso da evolução reconstituída por Aristóteles.

7) A mais importante deficiência de Teofrasto é separar as interpretações de seu contexto no pensamento filosófico de Aristóteles. As interpretações do Estagirita não são relatos doxográficos. Constituem um esforço de pensar, nas doutrinas antigas, o que elas têm de idêntico nas diferenças entre pensamento filosófico e pensamento originário. É o que sugerem

os contextos. Ora, descartando os contextos e retendo as interpretações, Teofrasto confere aos textos de Aristóteles a forma de uma exposição direta. A falta do contexto se torna ainda mais obtusa quando Teofrasto compila duas ou mais passagens diferentes, cada uma com seu próprio ângulo no horizonte do pensamento. Sem os contextos não é possível determinar os fundamentos em que se funda a identidade das diferenças entre os dois pensamentos.

8) É suposição geral da crítica histórica que Teofrasto fez uso dos escritos originais dos primeiros pensadores. Esta suposição não encontra indícios suficientes nos fragmentos. E o fato de Teofrasto citar quase todos os grandes filósofos posteriores a Tales não lhe pode servir de base. Mas mesmo em caso positivo, os textos originais não podem dar o que Teofrasto não tem, a capacidade de pensar. Assim, não lhe adianta distinguir as duas partes do poema de Parmênides se lhe faltam as condições para pensar a identidade nas diferenças dos três caminhos: do ser, do não ser e do parecer.

9) Dos fragmentos não resulta nenhuma evidência de que Teofrasto faça uso de mais textos originais do que aqueles que cita. E muitas citações não provêm senão da base em que se fundam as interpretações de Aristóteles. Esta circunstância deixa lugar à suspeita de Teofrasto não ter consultado os textos integrais, mas de se ter louvado talvez num *compendium* de excertos em uso nos círculos do Peripatos.

10) O confronto, portanto, entre os fragmentos das *φυσικῶν δόξαι* e os textos de Aristóteles autoriza uma parte e desautoriza a outra parte da conclusão de E. Zeller. Teofrasto de fato "se ateve, em larga escala, ao panorama dos

princípios filosóficos traçados por Aristóteles no primeiro livro da Metafísica". Mas nas *περὶ ἀισθήσεως*, Teofrasto não demonstra nenhuma "independência de saber e julgamento". Ao contrário, revela à saciedade que as investigações dos textos originais, que teria empreendido, é pura aparência. Na verdade são simples repetições das interpretações já encontradas em Aristóteles. Ademais o método de seleção e a prática de compilar várias passagens diferentes, desgarradas dos contextos, é fonte de confusões e contradições. Mas sobretudo a incapacidade de pensar o vigor de pensamento tanto de Aristóteles como dos primeiros pensadores confere a seus testemunhos uma posição secundária num esforço de se pensar o pensamento dos pensadores dos séculos VI e V a.C.

Segundo a lista de Diógenes Laércio, Teofrasto escreveu ainda sobre Anaxímenes, Empédocles, Anaxágoras, Arquelau e principalmente Demócrito. De todos estes escritos só resta um fragmento, tirado do Anaxágoras por Simplício. *As opiniões dos físicos* pertenciam a uma enciclopédia de investigações que incluía ainda as histórias da teologia, astronomia e matemática, escritas por Eudemo, e uma história da medicina, escrita por Menão. Posteriormente, as *φυσικῶν δόξαι* foram compendiadas em dois tomos, dos quais só nos resta hoje grande parte do último livro, *περὶ αἰσθήσεως* "sobre a sensação". Dos demais existem apenas extratos importantes do primeiro livro, *περὶ ἀρχῶν* "sobre os princípios", copiados por Simplício com base nos comentários perdidos de Alexandre de Afrodísia.

As opiniões dos físicos de Teofrasto se tornaram a fonte principal dos manuais de história da filosofia e dos compêndios de texto que, saindo de Alexandria, proliferaram no período helenista. Era à base de *βίοι, ἐπιτομαί, ἱστορίαι, στρωματεῖς* que se nutria a formação filosófica. Foi destes compêndios e manuais que posteriormente se desenvolveu a tradição doxográfica da filosofia. Deles se recebiam os princípios e o horizonte para a interpretação dos escritos originais ainda existentes. Não é, pois, de admirar que não só o conteúdo, mas também o estilo de toda esta tradição tenha determinado decisivamente a posição e a atitude dos filósofos posteriores até Nietzsche, exclusive, frente à *História do pensamento ocidental*. O predomínio da filosofia sobre o pensamento, que se instalara e consolidara com Sócrates, Platão e Aristóteles, assume explicitamente o imperialismo de um domínio exclusivo.

Afora Platão, Aristóteles e Teofrasto, encontramos citações verbais dos primeiros pensadores em muitos escritores da Antiguidade, quase todos dependentes, quer direta, quer indiretamente, de *As opiniões dos físicos*, de Teofrasto. Os principais são, por ordem cronológica, os seguintes:

Filodemo. De Gádara na Celessíria. Viveu pelo ano 60 a.C., contemporâneo de Cícero. Pertencia à Escola de Epicuro. Foi discípulo de Zenão de Sídon, em cujas conferências Filodemo baseou grande parte de seus escritos. Citações dos primeiros pensadores se encontram principalmente nos escritos: *De pietate, De ira, De morte, De musica*, todos restaurados dos papiros encontrados em Herculano.

Estrabão. Nasceu na Capadócia pelo ano 58 a.C. e morreu entre 21 e 25 d.C. Da Escola Estoica Posterior. Visitou grande parte do Império Romano, estabelecendo-se por muito tempo em Roma e Alexandria. Com a ajuda das obras de Eratóstenes, Hiparco e dos historiógrafos, Éforo, Políbio e sobretudo Posidônio, escreveu suas *Γεωγραφικά*, onde faz várias citações dos primeiros filósofos.

Plutarco de Queroneia. Da Academia Média, historiógrafo e ensaísta. Viveu de 45 a 125 d.C. Desde que Diels demonstrou o caráter apócrifo dos *Placita philosophorum*, "As opiniões dos filósofos", longamente atribuídas a Plutarco, só vêm em questão de sua extensa bagagem literária os ensaios morais, polêmicos, religiosos e os simpósios. Frequentemente Plutarco aumenta, interpola e em parte reformula os textos originais nas citações que faz.

Sexto Empírico. Cético e médico da metade do segundo século (cerca de 150 d.C.). Expôs a doutrina de Enesidemo, que vivera uns dois séculos antes. Louvou-se em grande parte nas fontes helenistas. Interessam sobretudo os escritos *Adversus Mathematicos*, "Contra os matemáticos". "Matemático" possui aqui o sentido do verbo, *μανθάνω*, ensinar, aprender. Os escritos se dirigem, pois, contra todos que ensinam o Quadrivium, conhecido desde o tempo de Platão, isto é, geometria, aritmética, astronomia (limitada à astrologia) e música.

Aécio. É um compilador, provavelmente do segundo século d.C., mencionado unicamente numa passagem de Teodoreto. Reuniu num compêndio as opiniões dos antigos filósofos. Este compêndio nos chegou em dois sumários doxográficos: os cinco livros dos *Placita Philosophorum*, falsamente atribuídos a Plutarco, e os extratos que aparecem em grande parte no *Anthologium* de João Estobeu. Diels os reuniu em colunas paralelas como os *Placita* de Aécio. Constituem nossa fonte mais extensa, embora nem sempre a mais fiel, dos textos antigos. Para sua compilação Aécio se valeu de compêndios mais antigos, que Diels chamou de *Vetusta Placita.*

Clemente de Alexandria. Seu nome pagão era Titus Flavius Clemens. Viveu de 160 a 220 d.C. Converteu-se ao cristianismo, foi ordenado e sucedeu Pantene na direção da Escola Catequética de Alexandria. Versado em toda a literatura grega, usou seus amplos conhecimentos e extraordinária memória em comparações entre o cristianismo e o paganismo. Faz frequentes citações de poetas e filósofos gregos, principalmente no *Προτρεπτικός*, *Παιδαγωγός*, nos oito livros dos *Γεωγραφικά*.

Hipólito de Roma. Presbítero romano. Viveu no tempo de Calisto I (217-222). Apologeta, escreveu *Refutado omnium haeresium*, "Refutação de todas as heresias", em nove livros, onde desmascara as heresias cristãs por serem sobrevivências de filosofias pagãs. Assim a heresia de Noeto de Esmirna, uma seita gnóstica que, afirmando a identidade do Pai e do Filho, propugnava o patripassionismo, não é outra coisa do que um heraclitismo mascarado de cristianismo. Ao demonstrá-lo, Hipólito cita nada menos do que 17 passagens de Heráclito, muitas das quais desconhecidas de outras fontes.

Orígenes. Nasceu em Alexandria em 185 e morreu em Tiro em 254. Foi discípulo de Clemente e por 28 anos chefe da Escola Catequética de Alexandria. São Jerônimo diz que Orígenes não escreveu menos de dois mil volumes, outros chegam a seis mil. Citações dos primeiros pensadores se encontram nos oito livros apologéticos, *Contra Celsum.*

Ateneu. É um antologista de comes e bebes. Viveu pelo ano 200 d.C. Nas *Δειπνοσοφισταί* cita passagens de Heráclito e Xenófanes.

Plotino. Sua cidade natal é Licópolis, no Egito. Viveu de 203/204 a 269/270. Com 28 anos se dedicou à filosofia. Estudou em Alexandria principalmente com Amônio. Juntou-se à expedição do Imperador Gordiano contra os persas para ir conhecer a filosofia persa. Com o fracasso da expedição teve de fugir para Antioquia. Com 40 anos mudou-se para Roma, onde desenvolveu intensa atividade de ensino. Procurou convencer o Imperador Galiano a construir na Campânia uma cidade nos moldes do ideal platônico, a Platonópolis, mas sem sucesso algum. Após 26 anos de morada em Roma, abandonou, doente, a capital do império e se estabeleceu no campo, onde morreu na propriedade de um discípulo. Em seis *Eneadas*, Plotino reuniu os escritos do mestre. Delas constam citações sobretudo de Heráclito e Parmênides.

Porfírio. De Tiro. Viveu de 232 a 304 em Roma e na Sicília. Com seus comentários a Platão, Aristóteles, Teofrasto e Plotino, inaugura a longa série de comentadores neoplatônicos. Para os textos dos primeiros filósofos interessam de Porfírio principalmente os comentários, *In Aristotelis Physicam*, *De antro Nympharum*, *In Ptolomaei harmônicas*, *De abstinentia*, as *Quaestiones Homericae*, as *Vitae* de Pitágoras e de Plotino, a carta à esposa, *Ad Marcellam*, e alguns fragmentos citados por Simplício e Estobeu.

Diógenes Laércio. Nasceu em Laerte na Cilícia, provavelmente na primeira metade do terceiro século. Escreveu *Vidas, doutrinas e sentenças dos filósofos ilustres*, em dez livros. Dedicou a uma dama neoplatônica, contemporânea de Severo. Trata-se de uma compilação desordenada de várias fontes helenistas. Em suas notícias biográficas e doxográficas Diógenes incluiu ocasionalmente pequenas citações.

Jâmblico. De Cálcis na Celessíria. É o fundador da Escola Síria. Morreu por volta de 330 d.C. Em 331, quando Constantino mandou executar seu discípulo, Sopatros, Jâmblico já não vivia. Além de comentários a Platão e Aristóteles, interessam sobretudo *Vita Pythagorae*, *De Mysteriis Aegyptorum*, *Protrepticus*, *In Nicomachi arithmeticam*, *De communi mathematica scientia* e alguns fragmentos conservados em Estobeu e no Anônimo das Éclogas Blassianas.

Proclo. Nasceu em Constantinopla em 410 d.C. Educado em Xanthos na Lícia. Foi discípulo de Olimpiodoro em Alexandria e do Velho Plutarco e Siriano em Atenas. Sucedeu Donino na direção da Escola Ateniense até 485, quando morreu. Ao lado do ensino, desenvolveu prodigiosa atividade literária. De interesse são, sobretudo, os seguintes escritos: *In primum Euclidis elementorum librum*, *In Platonis Rem Publicam*, *In theologiam Platonis*, *Institutio Theologica*, e os comentários *In Platonis Cratylum*, *In Platonis Parmenidem*, *In Platonis Timaeum* e *In Hesiodi Opera et dies.*

João Estobeu. Antologista do quinto século d.C. Em seu *Anthologium* reuniu extratos de todos os aspectos da literatura grega, com ênfase especial em temas éticos. Interessam sobretudo as *Eclogae physicae*, as *Eclogae ethicae e o Florilegium*, cujas fontes principais remontam aos manuais e compêndios que proliferaram no período alexandrino.

Simplício. Nasceu na Cilícia pelo ano 500 d.C. Pertenceu à última geração da Escola Neoplatônica de Atenas, fechada em 529 pelo edito do Imperador Justiniano, que proibiu ensinar filosofia. Escreveu grandes comentários a Aristóteles, dos quais se conservam os comentários aos *De cathegoriis*, *Physica*, *De coelo* e *De anima.* Ao explicar as interpretações que Aristóteles dá de seus predecessores, Simplício cita longa e frequentemente os primeiros pensadores, cujas obras, nos diz, se tornaram muito raras.

2) *Edições dos fragmentos.* A primeira coleção, que procurou reunir todos os fragmentos dos primeiros pensadores gregos, remonta à segunda metade do século XIX. Deve-se a Fr. W. Mullach que pretendia recolher os fragmentos de todos os filósofos gregos. A obra tem por título:

Fragmenta Philosophorum Graecorum, collegit, recensuit, vertit, annotationibus et prolegomenis illustravit, indicibus instruit Fr. Guil. Aug. Mullachius. Editoribus Firmin-Didot et Sociis, Instituti Francici Typographis, Via Jacob, 56, Parisiis, MDCCCLX, MDCCCLXVII, MDCCCLXXXI.

Vol. I. Parisiis, MDCCCLX: *Poeseos Philosophicae caeterorumque ante Socratem philosophorum quae supersunt.*

Vol. II. Parisiis, MDCCCLXVII: *Pythagoreos, Sophistas, Cynicos et Chalcidii in priorem Timaei Platonici partem commentarios continens.*

Vol. III. Parisiis, MDCCCLXXXI: *Platonicos et Peripateticos continens.*

Trata-se de uma coleção completamente insuficiente. Tanto no levantamento dos textos como no exame das leituras e análise dos testemunhos não satisfaz às mínimas exigências críticas. Sem nenhum aparato de variantes ou critério de avaliação e filtragem das citações, não proporciona condições, por menores que sejam, para se pensar o pensamento dos primeiros pensadores. Também a ordem e a distribuição da matéria, confusas cronológica e historicamente, revelam um jejum total de sensibilidade e intuição nas vicissitudes do pensamento. As introduções substituem a deficiência de informações pensadas e a falta de reflexão filosófica por uma retórica barroca de lugares-comuns e expressões estereotipadas.

No começo do século XX, Hermann Diels coordenou uma coleção de fragmentos, intitulada:

Poetarum Philosophorum Fragmenta, Berlim, 1901, voluminis tertii fasciculus prior: *Poetarum Graecorum Fragmenta*, auctore Udalrico de Wilamowitz-Moellendorff collecta et edita. Contém os fragmentos de Tales, Cleostrato, Xenófanes, Parmênides, Empédocles, Citínio, Menecrates, Esmintes, Timão, Crates e Demétrio de Bizâncio.

Os fragmentos são editados cuidadosamente, providos de aparato crítico e exegético e com dois índices remissivos, um de nomes, outro de termos. Um profundo conhecimento da matéria permite reconstituir o sentido e o contexto dos fragmentos, muitas vezes de maneira surpreendente. Precedem os testemunhos da vida, das poesias e da doutrina. Na difícil tarefa de reconstruir os textos, vale-se o autor do método histórico-crítico, procurando assim evitar qualquer arbitrariedade. A obra é modelar para qualquer trabalho do gênero e indispensável a todo trato com os fragmentos dos primeiros pensadores.

Uma coleção completa de todos os fragmentos dos primeiros pensadores elaborou Hermann Diels em:

Die Fragmente der Vorsokratiker, Griechisch-Deutsch in 2 Baenden, Berlim, Weidmann, 1903. Desde a 5ª edição (1934), preparada por Walther Kranz. A 12ª edição, de 1966, reproduz a 6ª edição melhorada de Walther Kranz.

Até a 4ª edição os volumes apresentavam a seguinte estrutura: Vol. I e II, cap. 1-160 continham os chamados pré-socráticos. Toda a obra se dispõe em três seções: A, B, C. Na seção A se reúnem os principais excertos do material biográfico, bibliográfico e doxográfico legado pela antiga tradição. Na seção B se apresentam os fragmentos dos pré-socráticos, providos de aparato crítico e tradução alemã, distinguindo-se o mais possível os autênticos dos inautênticos e duvidosos. Na seção C se incluem as imitações. Três anexos completam a obra: I. Poesia cosmológica do século sexto (II, cap. 163-194); II. Poesia astrológica do século sexto (II, cap. 194-198); III. Prosa cosmológica e gnômica (II, cap. 198-217), seguindo a mesma disposição usada nos fragmentos dos pré-socráticos. Por fim, nas edições de 1906 e 1912, acrescentaram-se os índices remissivos, um de passagens, um de nomes (II, 1ª Metade, p. 735-864), e um de palavras, preparado por Walther Kranz (II, 2ª Metade).

Segundo o desejo do próprio Diels, Walther Kranz reformulou toda a estrutura inicial a partir da 5ª edição, de 1934. Na 12ª edição, de 1966, a obra se apresenta em três volumes com todos os acréscimos desde a 6ª edição. O terceiro volume é reservado para os três índices remissivos de passagens, nomes e termos, p. 1-660, indo os acréscimos até 1º de fevereiro de 1951. Os dois primeiros volumes obedecem à seguinte disposição:

A) *Primórdios*: I. Poesia Cosmológica dos Primeiros Tempos (I, cap. 1-3); II. Poesia Astrológica do Século Sexto (I, cap. 4-6); III. A Primeira Prosa Cosmológica e Gnômica (I, cap. 7-10).

B) Os *Fragmentos dos filósofos do sexto e quinto séculos* (e seguidores imediatos) (I, cap. 11-58 e II, cap. 59-78).

C) *Sofística mais antiga* (II, cap. 79-90).

Ao longo de todas estas três partes são mantidas as seções A, B, C, que servem para distinguir no material da tradição os testemunhos, os fragmentos e as imitações, respectivamente.

A forma completa de citação desta obra fundamental obedece à seguinte abreviação: Diels-Kranz, 12 Vors., 22 A 1,1 = Diels- Kranz, Vorsokratiker, 12ª edição, cap. 22. (Heráclito), seção A (vida e doutrina), n. 1 (passagem de Diógenes Laércio), parágrafo 1, ou então: Diels-Kranz, 12 Vors. 22 B.1 = Diels-Kranz, Vorsokratiker, 12ª edição, cap. 22 (Heráclito), seção B (fragmentos), n. 1.

Com sua coleção dos fragmentos, o propósito de Diels era dar um fundamento às preleções sobre filosofia grega. Trata-se, portanto, de um manual de textos. Para se deixar conduzir pela provocação do pensamento nas vicissitudes da reflexão grega é indispensável acompanhar-lhe a parusia em *statu nascendi* nas diversas epifanias de sua linguagem originária. Neste sentido a coleção de Hermann Diels é fundamental, pois reúne ou pretende reunir todos os fragmentos legados pela tradição, e conserva fielmente a forma dialetal, quando, ocasionalmente, a mantém a tradição, e não corrige os vulgarismos, helenismos e pseudodorismos dos textos. Limita-se apenas a corrigir a ortografia. A ordem dos autores é a ordem externa apresentada pela tradição. A ordem dos fragmentos é alfabética, enumerados digitalmente. O gigantesco material da tradição é reunido e analisado, segundo os princípios da crítica textual e histórica, com base em um conhecimento exaustivo da respectiva literatura antiga. Menos feliz se nos afigura a limitação dos *Lemmata* dos fragmentos e o critério que preside à escolha e disposição do material doxográfico. Diels se ateve à divisão das *φυσικῶν δόξαι* de Teofrasto, seguindo o esquema claramente escolástico: Princípios, Deus, Cosmos, Meteora, Psicologia e Fisiologia. A deficiência deste critério não provém tanto do anacronismo do esquema. Prende-se sobretudo ao caminho em que encaminha a compreensão do pensamento dos primeiros pensadores, um caminho fundamentalmente não originário, mas tipicamente aristotélico.

Textos dos primeiros pensadores se encontram ainda nas seguintes coleções de fragmentos:

- *Fragmenta Historicorum Graecorum*, collegit, disposuit, notis et prolegomenis illustravit Carolus Muellerus. Quinque volumina, Parisiis, 1841-1870.

Trata-se de uma coleção antiquada, hoje substituída pela coleção crítica.

- *Die Fragmente der griechischen Historiker*, herausgegeben von Felix Jacobi. Bde. I-II, Berlim, 1923-1925. Bd. III, A-B. Leiden, 1950.

- *Apollodors Chronik. Eine Sammlung der Fragmente*, herausgegeben von Felix Jacobi, Philosophische Untersuchungen, 16. Heft, Berlim, 1902.

- *Corpus medicorum Graecorum*, auspiciis academiarum associatarum, ed. academiae Berol., Havn., Lips., 1922.

- *Scriptores physiognomici Graeci et Latini*, recensuit Rich. Foerster, 2 Bde. Lipsiae, 1893.

III – Os testemunhos da vida e da doutrina

Como as citações, também os testemunhos da vida e doutrina dos primeiros pensadores se encontram espalhados por toda a literatura antiga, desde referências ocasionais em Eurípedes e Aristófanes até Santo Agostinho. Os mais importantes e também os mais antigos provêm de Platão, Aristóteles e Teofrasto.

Platão propõe descrições vivas das diversas correntes e da personalidade de seus representantes. Assim, no Fedro (96s.) nos apresenta, num rápido sumário, as peripécias de pensamento em que a φύσις encaminhara os pensadores do século V. Muito mais pro-vocantes, porém, do que as descrições e os sumários, são as ironias, os mitos e as tensões dos *Diálogos.* Com Platão, a filosofia nasce de uma tensão com a linguagem poética, com o pensamento originário. Nessa tensão, o poeta e o pensador não são combatidos de fora, como adversários externos. Constituem o perigo inerente a toda filosofia. São uma ameaça que se dá, constante e invencível, com a própria razão e racionalidade. Acompanham o filósofo como a fonte acompanha o rio. O poeta e o pensador pertencem ao filósofo como a sua própria sombra, de cuja agilidade a compreensão racional procura sempre de novo libertá-lo. O *Logos* é inseparável do Mythos. Platão visa a triunfar desta tensão, contrapondo ao mito, à poesia, ao pensamento um modelo da essência da verdade e da estrutura do mundo que, cindindo *τὸ νοητὸ φαινόμενον*, *ἐπιστήμη* e *δόξα*, *εἶδος* e *φαινόμενον*, *τὸ μὴ ὄν* e *τὸ ὄντως ὄν*, se de-cide pela metafísica contra o pensamento, o mito, a poesia. Plantada na metafísica do *Logos*, a Lógica, a filosofia proclama definitiva a vitória do princípio racional da luz e vai expandindo o domínio planetário da razão e sua racionalidade na história do Ocidente. A implantação do imperialismo metafísico põe a filosofia em oposição à experiência originária da existência e do mundo grego. Nos fins do século XIX, Nietzsche se levanta contra este imperialismo da metafísica, que, em Platão, inaugura a filosofia. A existência metafísica é um fenômeno de decadência, de empobrecimento dos instintos pela hipertrofia do racional, do conceitual, do lógico. Para Nietzsche, trata-se de "um des-vio tão grande de todos os instintos fundamentais dos gregos" que ele "prefere usar, para todo o fenômeno, Platão, a palavra dura de 'impostura superior' ou, se for mais agradável ouvir, de 'idealismo', do que qualquer outra".

Em toda sua profundidade, esta ruptura não pode ser apreendida só pelos testemunhos platônicos sobre a vida e doutrina dos primeiros pensadores nem mesmo pelo texto de todos os *Diálogos*. Uns e outros constituem apenas pressuposição para se penetrar no diálogo de pensamento, que empreende Platão com o pensamento originário, mas ainda não são o diálogo em si mesmo. Para se entrar em diálogo, torna-se necessária a admiração de um questionamento pela estranheza do evidente, pela fraqueza de pensamento, pelo subtrair-se do mistério de uma tradição histórica. Como os filósofos de todos os tempos, é o que fez também Platão e, tendo feito, nos convida a fazê-lo com a decadência de pensamento em que nos engolfa hoje a igualdade planetária da ciência. Pelo vigor, com que constantemente suporta a admiração do questionamento, Platão é filósofo, enquanto seus discípulos e seguidores se contentam em comparar as doutrinas do Mestre com as doutrinas de seus predecessores, para assim poderem explicar polemicamente o progresso na evolução do conhecimento filosófico. Em consequência, forma-se pela primeira vez uma consciência de filosofia da história que, desenvolvendo-se largamente com Aristóteles e sua escola, vai dominar todas as investigações historiográficas modernas do método histórico-crítico até o advento da análise estrutural com o acento maior deslocando-se para o eixo da sincronia.

Segundo esta consciência, o itinerário da filosofia é um itinerário epistêmico de doutrinas em espiral ascendente no progresso do conhecimento. Os mais antigos são precursores que, embora em etapas menos adiantadas, já se encontrariam no mesmo caminho da verdade. Neste sentido, Xenócrates, o segundo sucessor na direção da Academia, escreveu os escritos polêmicos: *Περὶ τῶν Παρμενίδου*, *Πυθαγορεία*, Heráclides do Ponto *Πρὸς τὰ Ζήνωνος*, *Ἡρακλείτου ἐξηγήσεις*, *Πρὸς τὸν Δημόκριτον ἐξηγήσεις*, *Περὶ τῶν Πυθαγορείων*.

Para Aristóteles não há oposição radical entre os filósofos do passado e do presente. As doutrinas antigas não são simplesmente falsas. Embora de modo imperfeito e primitivo, preludiam, em princípio, as doutrinas posteriores. A verdade da razão desperta e cresce na medida em que lhes vai desenvolvendo os germes de racionalidade, e lhes esclarece os pontos cegos. Aristóteles vê a legitimidade de suas doutrinas no fato de terem reconduzido à linguagem do *Logos* o que desde sempre a humanidade pressentiu nas peripécias de sua caminhada histórica. À luz desta filosofia da história da filosofia se impunha ao Peripatos conhecer as doutrinas dos primeiros filósofos como uma tarefa não apenas didática, mas sobretudo sistemática.

Aristóteles estabeleceu como princípios de realização desta tarefa: a pesquisa das fontes originais, um levantamento completo e análise crítica do material. O Peripatos lançou-se então a investigar toda a evolução histórica do pensamento grego. Frutos deste imenso esforço são os sumários, que antepõe Aristóteles a muitas de suas obras, as investigações de Teofrasto sobre as *Opiniões dos físicos*, de Eudemos sobre a história da teologia, astronomia e matemática, de Menão sobre a história da medicina e de Aristóxenos sobre a música. Após a morte do Filósofo, este interesse sistemático pelo passado do conhecimento continuou a mobilizar uma parte dos discípulos, mesmo depois, quando a maioria não se manteve fiel aos princípios do Mestre. Destas atividades sistemáticas saíram, quer direta, quer indiretamente, quase todos os testemunhos sobre a vida e doutrina dos primeiros pensadores que vamos encontrar ao longo da literatura até o fim da Antiguidade.

Emmanuel Carneiro Leão

Os pensadores originários: Anaximandro, Parmênides, Heráclito

Anaximandro

Fragmento

ἐξ ὧν δὲ ἡ γένεσίς ἐστι τοῖς οὖσι, καὶ τὴν φθορὰν εἰς ταῦτα γίνεσθαι κατὰ τὸ χρεών: διδόναι γὰρ αὐτὰ δίκην καὶ τίσιν ἀλλήλοις τῆς ἀδικίας κατὰ τὴν τοῦ χρόνου τάξιν.

Fragmento*

De onde pro-vêm as realizações, re-tornam também as des-realizações: *pois, de acordo com o vigor da con-signação, elas con-cedem umas às outras articulação e, com isso, também con-sideração pela des-articulação*, de acordo com o estatuto do tempo.

* Tradução: Emmanuel Carneiro Leão.

Parmênides

ΠΕΡΙ ΦΥΣΕΩΣ

I

Ἵπποι ταί με φέρουσιν, ὅσον τ᾽ ἐπὶ θυμὸς ἱκάνοι,
πέμπον, ἐπεί μ᾽ ἐς ὁδὸν βῆσαν πολύφημον ἄγουσαι
δαίμονες, ἣ κατὰ πάντ᾽ ἄστη φέρει εἰδότα φῶτα,
τῇ φερόμην, τῇ γάρ με πολύφραστοι φέρον ἵπποι
5 ἅρμα τιταίνουσαι, κοῦραι δ᾽ ὁδὸν ἡγεμόνευον.

Ἄξων δ᾽ ἐν χνοίῃσιν ἵει σύριγγος ἀυτήν
αἰθόμενος – δοιοῖς γὰρ ἐπείγετο δινωτοῖσιν
κύκλοις ἀμφοτέρωθεν –, ὅτε σπερχοίατο πέμπειν
Ἡλιάδες κοῦραι, προλιποῦσαι δώματα Νυκτός,
10 εἰς φάος, ὠσάμεναι κράτων ἄπο χερσὶ καλύπτρας.

Ἔνθα πύλαι Νυκτός τε καὶ Ἤματός εἰσι κελεύθων,
καί σφας ὑπέρθυρον ἀμφὶς ἔχει καὶ λάινος οὐδός,
αὐταὶ δ᾽ αἰθέριαι πλῆνται μεγάλοισι θυρέτροις,
τῶν δὲ Δίκη πολύποινος ἔχει κληῖδας ἀμοιβούς.

15 Τὴν δὴ παρφάμεναι κοῦραι μαλακοῖσι λόγοισιν
πεῖσαν ἐπιφραδέως, ὥς σφιν βαλανωτὸν ὀχῆα
ἀπτερέως ὤσειε πυλέων ἄπο; ταὶ δὲ θυρέτρων
χάσμ᾽ ἀχανὲς ποίησαν ἀναπτάμεναι πολυχάλκους
ἄξονας ἐν σύριγξιν ἀμοιβαδὸν εἰλίξασαι
20 γόμφοις καὶ περόνῃσιν ἀρηρότε, τῇ ῥα δι᾽ αὐτέων
ἰθὺς ἔχον κοῦραι κατ᾽ ἀμαξιτὸν ἅρμα καὶ ἵππους.

Acerca da nascividade

I

Os cavalos me carregam na cercania de quanto o ânimo de vida alcança; eles me enviavam, pois daimones me encaminharam a trilhar um caminho muito significante, o qual conduz o mortal para além de tudo o que transcende o morar humano, como sapiente. A caminho eu era conduzido; pois para ele cavalos muito sensatos me conduziam, o carro se potencializando no embalo, meninas, no entanto, mostravam o caminho.

O eixo flamejante no cubo colocava em movimento uma tonância vibrante de flauta (pois ela se acelerava de ambas as direções em duplos círculos dia-ferentes), quando as heliades meninas, deixando a morada da noite ser, e impelindo para trás com as mãos os véus de suas cabeças, se lançavam em me conduzir para a luz.

Lá é o portal das sendas da noite e do dia, moldura e umbral de pedra os mantêm num contraponto; o portal, etérico, tem poderosos batentes; acerca dele, Dike – quem muito labora – mantém o ferrolho que abre e fecha.

As meninas, falando com palavras afáveis, persuadiram-na diligentemente a lhes descerrar com presteza o ferrolho trancado do portal; este, abrindo-se com ímpeto, fez com que a dupla abertura imensa das portas girasse os eixos de bronze nos cubos ajustados com cones e cilindros. Então através do portal as meninas mantinham carro e cavalos abertamente segundo a pertinência do caminho.

* Tradução: Sérgio Wrublewski.

Καί με θεὰ πρόφρων ὑπεδέξατο, χεῖρα δὲ χειρί
δεξιτερὴν ἕλεν, ὧδε δ' ἔπος φάτο καί με προσηύδα,
ὦ κοῦρ' ἀθανάτοισι συνάορος ἡνιόχοισιν,
25 *ἵπποις ταί σε φέρουσιν ἱκάνων ἡμέτερον δῶ,*
χαῖρ', ἐπεὶ οὔτι σε μοῖρα κακὴ προὔπεμπε νέεσθαι
τήνδ' ὁδόν – ἦ γὰρ ἀπ' ἀνθρώπων ἐκτὸς πάτου ἐστίν –
ἀλλὰ θέμις τε δίκη τε. Χρεὼ δέ σε πάντα πυθέσθαι
ἠμὲν Ἀληθείης εὐκυκλέος ἀτρεμὲς ἦτορ
30 *ἠδὲ βροτῶν δόξας, ταῖς οὐκ ἔνι πίστις ἀληθής.*
Ἀλλ' ἔμπης καὶ ταῦτα μαθήσεαι, ὡς τὰ δοκοῦντα
χρῆν δοκίμως εἶναι διὰ παντὸς πάντα περῶντα.

II

Εἰ δ' ἄγ' ἐγὼν ἐρέω, κόμισαι δὲ σὺ μῦθον ἀκούσας,
αἵπερ ὁδοὶ μοῦναι διζήσιός εἰσι νοῆσαι, ἡ μὲν ὅπως
ἔστιν τε καὶ ὡς οὐκ ἔστι μὴ εἶναι,
Πειθοῦς ἐστι κέλεθος – Ἀληθείῃ γὰρ ὀπηδεῖ –,
5 *ἡ δ' ὡς οὐκ ἔστιν τε καὶ ὡς χρεώ ἐστι μὴ εἶναι,*
τὴν δή τοι φράζω παναπευθέα ἔμμεν ἀταρπόν,
οὔτε ἀρ ἂν γνοίης τό γε μὴ ἐὸν – οὐ γὰρ ἀνυστόν –
οὔτε φράσαις.

III

... τὸ γὰρ αὐτὸ νοεῖν ἐστίν τε καὶ εἶναι.

IV

Λεῦσσε δ' ὅμως ἀπεόντα νόῳ παρεόντα βεβαίως,
οὐ γὰρ ἀποτμήξει τὸ ἐὸν τοῦ ἐόντος ἔχεσθαι
οὔτε σκιδνάμενον πάντῃ πάντως κατὰ κόσμον
οὔτε συνιστάμενον.

E a deusa me acolheu graciosa e profusamente, tomou a mão direita na sua, e, desta maneira trazendo o epos à fala, me disse: Ó jovem, tu companheiro de imortais condutoras de carro, que te trazem com os cavalos, alcançando nossa morada, viva! porque de nenhuma maneira uma moira ruim te enviou a trilhares este caminho (pois em verdade ele está fora do caminho que vem dos homens), mas Themis e Dike.

É necessário que tu experimentes tudo, tanto o ânimo intrépido da verdade bem redonda como as aparências dos mortais, nas quais não há uma confiança desvelante. Porém é necessário também isto de uma maneira totalizante conhecer: como o aparecente necessitava ser tudo consumando através de tudo de maneira aparecente.

II

Vamos lá! – eu interrogarei, tu porém, auscultando a palavra, cuida que caminhos únicos do procurar são dignos de serem pensados: um, que é e que não ser não é; é o caminho da obediência (pois segue o desvelar-se). O outro, que não é, e que necessariamente não ser é; este caminho eu te digo em verdade ser totalmente insondável como algo inviável; pois não haverias de conhecer o não ente (pois este não pode ser realizado) nem haverias de trazê-lo à fala.

III

...pois o mesmo é pensar e ser.

IV

Vislumbra entretanto no médium do espírito o ausente como presente plenamente: pois o espírito não separará o ente do ater-se ao ente, nem o ente expandido, nem o ente aglomerado, na totalidade completamente segundo um cosmos ordenado.

V

Ξυνὸν δέ μοί ἐστιν,
ὁππόθεν ἄρξωμαι; τόθι γὰρ πάλιν ἵξομαι αὖθις.

VI

Χρὴ τὸ λέγειν τε νοεῖντ' ἐὸν ἔμμεναι: ἔστι γὰρ εἶναι,
μηδὲν δ' οὐκ ἔστιν; τά σ' ἐγὼ φράζεσθαι ἄνωγα.
Πρώτης γάρ σ' ἀφ' ὁδοῦ ταύτης διζήσιος (εἴργω),
αὐτὰρ ἔπειτ' ἀπὸ τῆς, ἣν δὴ βροτοὶ εἰδότες οὐδὲν
5 *πλάττονται, δίκρανοι, ἀμηχανίη γὰρ ἐν αὐτῶν*
στήθεσιν ἰθύνει πλακτὸν νόον, οἱ δὲ φοροῦνται
κωφοὶ ὁμῶς τυφλοί τε, τεθηπότες, ἄκριτα φῦλα,
οἷς τὸ πέλειν τε καὶ οὐκ εἶναι ταὐτὸν νενόμισται
κοὐ ταὐτὸν, πάντων δὲ παλίντροπός ἐστι κέλευθος.

VII

Οὐ γὰρ μήποτε τοῦτο δαμῇ εἶναι μὴ ἐόντα;
ἀλλὰ σὺ τῆσδ' ἀφ' ὁδοῦ διζήσιος εἶργε νόημα;
μηδὲ σ' ἔθος πολύπειρον ὁδὸν κατὰ τήνδε βιάσθω,
νωμᾶν ἄσκοπον ὄμμα καὶ ἠχήεσσαν ἀκουὴν
καὶ γλῶσσαν, κρῖναι δὲ λόγῳ πολύδηριν ἔλεγχον
ἐξ ἐμέθεν ῥηθέντα.

VIII

Μόνος δ' ἔτι μῦθος ὁδοῖο
λείπεται ὡς ἔστιν: ταύτῃ δ' ἐπὶ σήματ' ἔασι
πολλὰ μάλ', ὡς ἀγένητον ἐὸν καὶ ἀνώλεθρόν ἐστιν,
ἐστι γὰρ οὐλομελές τε καὶ ἀτρεμὲς ἠδ' ἀτέλεστον;
5 *οὐδέ ποτ' ἦν οὐδ' ἔσται, ἐπεὶ νῦν ἔστιν ὁμοῦ πᾶν,*
ἕν, συνεχές; τίνα γὰρ γέννα διζήσεαι αὐτοῦ;
πῇ πόθεν αὐξηθέν; οὐδ' ἐκ μὴ ἐόντος ἐάσσω
φάσθαι σ' οὐδὲ νοεῖν, οὐ γὰρ φατὸν οὐδὲ νοητόν
ἔστιν ὅπως οὐκ ἔστι. Τί δ' ἄν μιν καὶ χρέος ὦρσεν.

V

O comum me é dado, de onde sempre inicio; pois para lá eu irei retomar de novo.

VI

Faz-se necessário trazer à fala e perscrutar e o ente ser: pois ser é, nada não é; estas coisas eu te peço que ponderes de todo o coração, pois primeiramente urjo que te afastes deste caminho de investigação, muito mais então daquele caminho, o qual mortais, que nada sabem, trilham errantes, esses bicéfalos; uma confusão no coração deles dá testemunho de um espírito confundível: são os que se arrastam, surdos e ao mesmo tempo cegos, estupefatos, multidão sem decisão, a quem ser e não ser vale como o mesmo e como o não mesmo, para quem o caminho de tudo é reversível.

VII

Pois jamais poderás urgir isto, que o não ente seja; tu, porém, afasta o pensamento deste caminho de investigação; também o costume muito experiente não deve te forçar segundo este caminho a (deixar) movimentar-se um olho sem objetivo, um ouvido e uma língua zunindo; decida através do *logos* esta prova conflitante, o que tem sido falado a partir de mim.

VIII

Uma única fala do caminho permanece: que é; na cercania deste caminho são muitos acenos; o ente é in-gênito, é também in-corruptível, pois é integro e inquebrantável, em verdade i-limitado; também não era outrora, nem será, porque é agora todo do mesmo, uno, contido; pois que origem disto irás sondar? De onde para onde tem ele surgido? Também não te permitirei trazer à fala nem perscrutar o surgir a partir do não ente; pois não pode ser trazido à fala nem perscrutado que não é; que necessidade também

10 *ὕστερον ἢ πρόσθεν, τοῦ μηδενὸς ἀρξάμενον, φῦν;*
οὕτως ἢ πάμπαν πελέναι χρεών ἐστιν ἢ οὐχί.

Οὐδέ ποτ' ἐκ μὴ ἐόντος ἐφήσει πίστιος ἰσχύς
γίγνεσθαί τι παρ' αὐτό, τοῦ εἵνεκεν οὔτε γενέσθαι
οὔτ' ὄλλυσθαι ἀνῆκε Δίκη χαλάσασα πέδησιν,

15 *ἀλλ' ἔχει, ἡ δὲ κρίσις περὶ τούτων ἐν τῷδ' ἔστιν;*
ἔστιν ἢ οὐκ ἔστιν, κέκριται δ' οὖν, ὥσπερ ἀνάγκη,
τὴν μὲν ἐᾶν ἀνόητον ἀνώνυμον – οὐ γὰρ ἀληθής
ἔστιν ὁδός – τὴν δ' ὥστε πέλειν καὶ ἐτήτυμον εἶναι.
Πῶς δ' ἂν ἔπειτα πέλα τὸ ἐόν; πῶς δ' ἄν κε γένοιτο;
20 *εἰ γὰρ ἔγεντ', οὐκ ἔστι, οὐδ' εἴ ποτε μέλλει ἔσεσθαι.*
Τὼς γένεσις μὲν ἀπέσβεσται καὶ ἄπυστος ὄλεθρος.

Οὐδὲ διαιρετόν ἐστιν, ἐπεὶ πᾶν ἐστιν ὁμοῖον;
οὐδέ τι τῇ μᾶλλον, τό κεν εἴργοι μιν συνέχεσθαι,
οὐδέ τι χειρότερον, πᾶν δ' ἔμπλεόν ἐσιν ἐόντος.
25 *Τῷ ξυνεχὲς πᾶν ἐστιν, ἐὸν γὰρ ἐόντι πελάζει.*

Αὐτὰρ ἀκίνητον μεγάλων ἐν πείρασι δεσμῶν
ἔστιν ἄναρχον ἄπαυστον, ἐπεὶ γένεσις καὶ ὄλεθρος
τῆλε μάλ' ἐπλάχθησαν, ἀπῶσε δὲ πίστις ἀληθής.
Ταὐτόν τ' ἐν ταὐτῷ τε μένον καθ' ἑαυτό τε κεῖται
30 *χοὕτως ἔμπεδον αὖθι μένει, κρατερὴ γὰρ Ἀνάγκη*
πείρατος ἐν δεσμοῖσιν ἔχει, τό μιν ἀμφὶς ἐέργει,
οὕνεκεν οὐκ ἀτελεύτητον τὸ ἐὸν θέμις εἶναι;
ἔστι γὰρ οὐκ ἐπιδευές, μὴ ἐὸν δ' ἂν παντὸς ἐδεῖτο.
Ταὐτὸν δ' ἐστὶ νοεῖν τε καὶ οὕνεκεν ἔστι νόημα.
35 *Οὐ γὰρ ἄνευ τοῦ ἐόντος, ἐν ᾧ πεφατισμένον ἐστίν,*
εὑρήσεις τὸ νοεῖν; οὐδ' ἦν γαρ (ἢ) ἔστιν ἢ ἔσται
ἄλλο πάρεξ τοῦ ἐόντος, ἐπεὶ τό γε Μοῖρ' ἐπέδησεν
οὖλον ἀκίνητόν τ' ἔμεναι, τῷ πάντ' ὄνομ' ἔσται,
ὅσσα βροτοὶ κατέθεντο πεποιθότες εἶναι ἀληθῆ.

teria movido o ente a, principiando antes ou depois a partir do nada, vir a ser? Assim a necessidade necessita ser toda ou não ser.

Também em vigor confiante não admitirá então que a partir do não ente surja algo junto dele. Por isto Dike – soltando-se para as cadeias – admitiu nem o surgir nem o perecer, mas mantém firme; a decisão acerca destas coisas nisto é: é ou não é; tem sido decidido então, como a necessidade determina, deixar um caminho como imperscrutável e inominável (pois ele não é um caminho desvelante); o outro de tal maneira a ser e a ser genuíno. Como então poderia o ente perecer, como poderia vir a ser? Pois se surgiu, não é e também não é, se alguma vez apenas no futuro será. Assim o vir-a-ser tem se desvanecido e o perecer tem se tornado insondável.

Também não é divisível, porque é totalmente do mesmo vigor; também não é aqui ou lá um ente superior ou inferior, o que de alguma maneira o impediria de ater-se, mas é antes totalmente pleno do ente; no estar contido (o ente) é todo; pois o ente se acerca do ente.

Nisto sendo imóvel, é in-gênito e in-findo nos limites das grandes cadeias; porque a gênesis e o perecer têm se extraviado longe, a confiança desvelante no entanto os rejeitou. Como o mesmo e no mesmo permanecendo, repousa por si mesmo e desta maneira permanece inabalável lá; pois a vigorosa necessidade o mantém nas cadeias do limite, o qual o coloca em sua própria ambivalência; por causa disto é determinação que o ente não pode ser ilimitado; pois não é carente; o ente, pois, não anelaria o todo? O mesmo é pensar e graças ao que é o pensamento; pois sem o ente, no qual o que é trazido à fala é, não encontrarás o pensar: pois nada é ou será algo outro para além do ente, porque a moira tem determinado este a ser todo e imóvel; através do que tudo será nome, o que mortais fixaram, acreditando ser verdadeiro: o vir-a-ser

40 *γίγνεσθαί τε καὶ ὄλλυσθαι, εἶναι τε καὶ οὐχί,*
καὶ τόπον ἀλλάσσειν διά τε χρόα φανὸν ἀμείβειν,
Αὐτὰρ ἐπεὶ πεῖρας πύματον, τετελεσμένον ἐστί
πάντοθεν, εὐκύκλου σφαίρης ἐναλίγκιον ὄγκῳ,
μεσσόθεν ἰσοπαλὲς πάντῃ, τὸ γὰρ οὔτε τι μεῖζον
45 *οὔτε τι βαιότερον πελέναι χρεόν ἐστι τῇ ἢ τῇ.*
Οὔτε γὰρ οὐκ ἐὸν ἔστι, τό κεν παύοι μιν ἱκνεῖσθαι
εἰς ὁμόν, οὔτ' ἐὸν ἔστιν ὅπως εἴη κεν ἐόντος
τῇ μᾶλλον τῇ δ' ἧσσον, ἐπεὶ πᾶν ἐστιν ἄσυλον,
οἷ γὰρ πάντοθεν ἶσον, ὁμῶς ἐν πείρασι κύρει.

50 *Ἐν τῷ σοι παύω πιστὸν λόγον ἠδὲ νόημα*
ἀμφὶς ἀληθείης, δόξας δ' ἀπὸ τοῦδε βροτείας
μάνθανε κόσμον ἐμῶν ἐπέων ἀπατηλὸν ἀκούων.

Μορφὰς γὰρ κατέθεντο δύο γνώμας ὀνομάζειν,
τῶν μίαν οὐ χρεών ἐστιν – ἐν ᾧ πεπλανημένοι εἰσίν –.

55 *τἀντία δ' ἐκρίναντο δέμας καὶ σήματ' ἔθεντο*
χωρὶς ἀπ' ἀλλήλων, τῇ μὲν φλογὸς αἰθέριον πῦρ,
ἤπιον ὄν, μέγ' ἐλαφρόν, ἑωυτῷ πάντοσε τωὐτόν,
τῷ δ' ἑτέρῳ μὴ τωὐτόν, ἀτὰρ κἀκεῖνο κατ' αὐτό
τἀντία νύκτ' ἀδαῆ, πυκινὸν δέμας ἐμβριθές τε.
60 *Τόν σοι ἐγὼ διάκοσμον ἐοικότα πάντα φατίζω,*
ὡς οὐ μή ποτέ τίς σε βροτῶν γνώμη παρελάσσῃ.

IX

Αὐτὰρ ἐπειδὴ πάντα φάος καὶ νὺξ ὀνόμασται
καὶ τὰ κατὰ σφετέρας δυνάμεις ἐπὶ τοῖσί τε καὶ τοῖς,
πᾶν πλέον ἐστὶν ὁμοῦ φάεος καὶ νυκτὸς ἀφάντου
ἴσων ἀμφοτέρων, ἐπεὶ οὐδετέρῳ μέτα μηδέν.

e o perecer, ser e não ser, alterar o lugar e mudar o que aparece por causa das cores; mas porque é um limite transcendente, é presença plenificada em toda a parte, semelhante à massividade de uma esfera bem plena, presença esta conquistada pelo mesmo vigor a partir do meio na totalidade, pois é necessário que o ser não seja aqui ou lá nem algo mais forte nem algo mais fraco. Pois também não é o não ente, o que de alguma maneira impediria de chegar ao mesmo, nem o ente, que pertenceria a um ente lá superior ou lá inferior, porque como todo, é íntegro; pois aí é idêntico de toda a parte e se acha integralmente nos limites.

Nisto termino para ti a fala confiante como ponderação da ambivalência da verdade, a partir disto aprende no entanto (sempre de novo) as opiniões dos mortais, escutando o cosmos inventivo das minhas palavras.

Pois eles colocaram formas para nomear dois sentidos – deles um não é necessário – no que eles têm estado vagantes.

Eles escolheram a antigonia e colocaram formações e indicações separadas umas das outras; de um lado o fogo etérico em brasa, sendo suave, grande, vigoroso, de toda a parte idêntico a si mesmo, com os outros não idêntico; então também, de outro lado, aquele por si mesmo, antigonia abissal da noite, uma formação densa e substancial. Eu trago à fala a ti todas as coisas como o uni-verso na incandescência do desvelamento: que jamais algum dia algum conhecimento dos mortais te transforme alienando.

IX

Mas porque tudo tem sido nomeado como luz e trevas, e isto conforme à sua dinâmica própria de cada coisa na sua singularidade: tudo é pleno de luz e de escuridão clara da noite, enquanto o mesmo, ambos o mesmo, pois nada é senão referido a ambos.

X

Εἴσῃ δ' αἰθερίαν τε φύσιν τά τ' ἐν αἰθέρι πάντα
σήματα καὶ καθαρᾶς εὐαγέος ἠελίοιο
λαμπάδος ἔργ' ἀίδηλα καὶ ὁππόθεν ἐξεγένοντο,
ἔργα τε κύκλωπος πεύσῃ περίφοιτα σελήνης
5 *καὶ φύσιν, εἰδήσεις δὲ καὶ οὐρανὸν ἀμφὶς ἔχοντα*
ἔνθεν ἔφυ τε καὶ ὥς μιν ἄγουσ' ἐπέδησεν Ἀνάγκη
πείρατ' ἔχειν ἄστρων.

XI

πῶς γαῖα καὶ ἥλιος ἠδὲ σελήνη
αἰθήρ τε ξυνὸς γάλα τ' οὐράνιον καὶ ὄλυμπος
ἔσχατος ἠδ' ἄστρων θερμὸν μένος ὡρμήθησαν
γίγνεσθαι.

XII

Αἱ γὰρ στεινότεραι πλῆντο πυρὸς ἀκρήτοιο.
αἱ δ' ἐπὶ ταῖς νυκτός, μετὰ δὲ φλογὸς ἵεται αἶσα;
ἐν δὲ μέσῳ τούτων δαίμων ἣ πάντα κυβερνᾷ;
πάντα γὰρ (ἣ) στυγεροῖο τόκου καὶ μίξιος ἄρχει
5 *πέμπουσ' ἄρσενι θῆλυ μιγῆν τό τ' ἐναντίον αὖτις*
ἄρσεν θηλυτέρῳ.

XIII

Πρώτιστον μὲν Ἔρωτα θεῶν μητίσατο πάντων...

XIV

Νυκτιφαὲς περὶ γαῖαν ἀλώμενον ἀλλότριον φῶς...

XV

αἰεὶ παπταίνουσα πρὸς αὐγὰς ἠελίοιο.

X

Tu hás de conhecer a essência nasciva da dimensão-éter e no seu médium todos os acenos e obras abscônditas do luzir irradiante do sol sagrado, e de onde têm surgido; hás de experimentar também as obras e a essência nasciva errante da lua ciclópica, e conhecerás então também o céu no guardar da sua ambivalência, de onde surgiu, e como a necessidade o leva a precisar ater-se aos limites dos astros.

XI

Como a terra, o sol e a lua, também o éter de tudo, a celeste via láctea, o extremo olimpo e o calor dos astros: têm o ímpeto a tornar-se.

XII

Os mais rigorosos níveis de dinâmica são plenos de fogo na pura suspensão, para além disto são plenos de noite, mas anterior a isto está colocada a boa medida do fogo; no meio destes *daimon*, que tudo governa; pois tudo ele principia do árduo e penoso nascimento e união, na medida em que deixa aviar-se unitariamente o feminino ao masculino e novamente o masculino ao feminino.

XIII

Como primeiro (*daimon*) concebeu antes de todos os deuses eros...

XIV

Brilho errante noctívago, estranha luz, na cercania da terra...

XV

sempre se deixando fascinar pelo brilho do sol.

XVI

Ὡς γὰρ ἕκαστος ἔχει κρᾶσιν μελέων πολυπλάγκτων,
τὼς νόος ἀνθρώποισι παρίσταται; τὸ γὰρ αὐτό
ἔστιν ὅπερ φρονέει μελέων φύσις ἀνθρώποισιν
καὶ πᾶσιν καὶ παντί; τὸ γὰρ πλέον ἐστὶ νόημα.

XVII

δεξιτεροῖσιν μὲν κούρους, λαιοῖσι δὲ κούρας...

XVIII

Femina virque simul Veneris cum germina miscent,
venis informans diverso ex sanguine virtus
temperiem servans bene condita corpora fingit.
nam si virtutes permixto semine pugnent
Nec faciant unam permixto in corpore, dirae
nascentem gemino vexabunt semine sexum.

XIX

Οὕτω τοι κατὰ δόξαν ἔφυ τάδε καὶ νυν ἔασι
καὶ μετέπειτ᾽ ἀπὸ τοῦδε τελευτήσουσι τραφέντα;
τοῖς δ᾽ ὄνομ᾽ ἄνθρωποι κατέθεντ᾽ ἐπίσημον ἑκάστῳ.

XVI

Pois como cada homem mantém o recolhimento das articulações em sua ambiguidade, assim o espírito se coloca junto dos homens; pois é o mesmo o que a nascividade pondera das articulações aos homens em referência a todas as coisas e a cada coisa; pois o mais é o pensamento.

XVII

à direita (da mãe) os meninos, à sua esquerda, as meninas.

XVIII

Quando mulher e varão unem simultaneamente as sementes do amor, cria o vigor corpos bem-fundados, na medida em que dá forma a partir do diverso sangue nas veias, conservando a têmpera. Pois se as forças, uma vez misturado o sangue, pugnam entre si, não fazem no corpo misturado uma natureza unitária, mas fúrias vexarão a natureza nascente com a semente de duplo sexo.

XIX

Desta maneira estas coisas surgiram segundo a dinâmica da aparescência, agora são e então a partir disto se fixando irão consumar-se; a estas coisas os homens fixaram um nome designante a cada coisa.

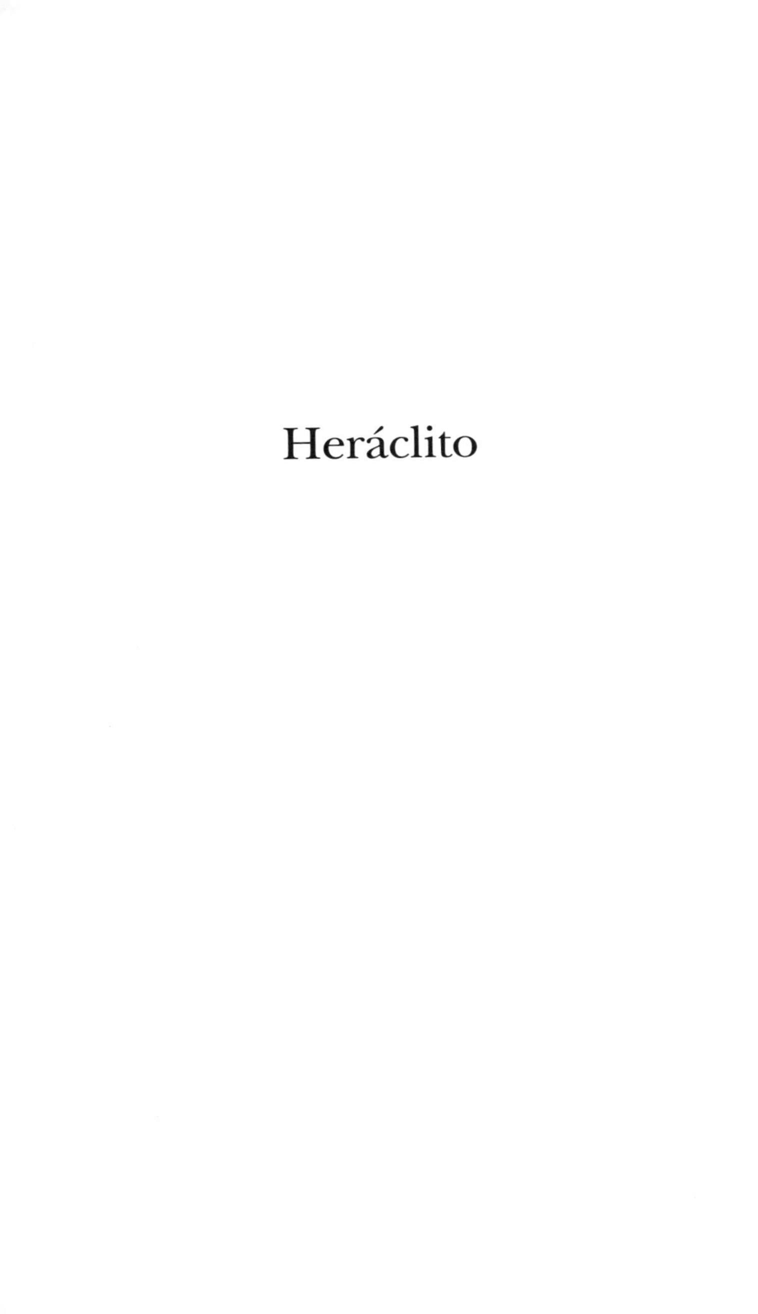

Heráclito

Fragmentos

1

τοῦ δὲ λόγου τοῦδ' ἐόντος ἀεὶ ἀξύνετοι γίνονται ἄνθρωποι καὶ πρόσθεν ἢ ἀκοῦσαι καὶ ἀκούσαντες τὸ πρῶτον; γιγνομένων γὰρ πάντων κατὰ τὸν λόγον τόνδε ἀπείροισιν ἐοίκασι, πειρώμενοι καὶ ἐπέων καὶ ἔργων τοιουτέων, ὁκοίων ἐγὼ διηγεῦμαι κατὰ φύσιν διαιρέων ἕκαστον καὶ φράζων ὅκως ἔχει. τοὺς δὲ ἄλλους ἀνθρώπους λανθάνει ὁκόσα ἐγερθέντες ποιοῦσιν, ὅκωσπερ ὁκόσα εὕδοντες ἐπιλανθάνονται.

2

του λόγου δ' ἐόντος ξυνοῦ ζώουσιν οἱ πολλοὶ ὡς ἰδίαν ἔχοντες φρόνησιν.

3

(Ἥλιος) εὖρος ποδὸς ἀνθρωπείου.

4

Boves felices diceremus, cum inveniant orobum ad comedendum.

5

καθαίρονται δ' ἄλλως αἵματι μιαινόμενοι οἷον εἴ τις εἰς πηλὸν ἐμβὰς πηλῷ ἀπονίζοιτο; καὶ τοῖς ἀγάλμασι δὲ τουτέοισιν εὔχονται, οἷον εἴ τις δόμοισι λεσχηνεύοιτο.

6

(Ἥλιος) νέος ἐφ' ἡμέρῃ

*Fragmentos**

1

Com o *Logos*, porém, que é sempre, os homens se comportam como quem não compreende tanto antes como depois de já ter ouvido. Com efeito, tudo vem a ser conforme e de acordo com este *Logos* e, não obstante, eles parecem sem experiência nas experiências com palavras e obras, iguais às que levo a cabo, discernindo e dilucidando, segundo o vigor, o modo em que se conduz cada coisa. Aos outros homens, porém, fica-lhes encoberto tanto o que fazem acordados, como se lhes volta a encobrir o que fazem durante o sono.

2

(Torna-se necessário seguir a con-juntura) mas enquanto o *Logos* vive em con-juntura, a massa vive como se tivesse um entendimento próprio e particular.

3

(O sol) da largura de um pé humano.

4

(Se a felicidade estivesse nos prazeres do corpo), deveríamos chamar felizes os bois quando encontrassem capim para comer.

5

É em vão que se purificam, aspergindo-se com sangue, como se alguém, que tivesse pisado na lama, quisesse lavar-se com lama; e fazem suas preces às imagens como se alguém pudesse falar com as paredes.

6

(O sol) novo de dia.

* Tradução: Emmanuel Carneiro Leão.

7

εἰ πάντα τὰ ὄντα καπνὸς γένοιτο, ῥῖνες ἂν διαγνοῖεν.

8

τὸ ἀντίξουν συμφέρον καὶ ἐκ τῶν διαφερόντων καλλίστην ἁρμονίαν.

9

ὄνοι σύρματ' ἂν ἕλοιντο μᾶλλον ἢ χρυσόν.

10

συλλάψιες. ὅλα καὶ οὐχ ὅλα (συμφερόμενον διαφερόμενον, συνᾶιδον διᾶιδον, καὶ ἐκ πάντων ἓν καὶ ἐξ ἑνὸς πάντα).

11

πᾶν γὰρ ἑρπετὸν τὴν γῆν νέμεται.

12

ποταμοῖσι σοῖσιν αὐτοῖσιν ἐμβαίνουσιν ἕτερα καὶ ἕτερα ὕδατα ἐπιρρεῖ; καὶ ψυχαὶ δὲ ἀπὸ τῶν ὑγρῶν ἀναθυμιῶνται.

13

(ὕες) βορβόρῳ ἥδονται (μᾶλλον ἢ καθαρῷ ὕδατι)

14

(τίσι δὴ μαντεύεται Ἡράκλειτος, ὁ Ἐφέσιος;) νυκτιπόλοις, μάγοις, βάκχοις, λήναις, μύσταις. (...) τὰ νομιζόμενα κατ' ἀνθρώπους μυστήρια ἀνιερωστὶ μυοῦνται.

7

Se todas as coisas se transformassem em fumaça, o nariz é que as distinguiria.

8

O contrário em tensão é convergente; da divergência dos contrários, a mais bela harmonia.

9

Os asnos prefeririam os ramos ao ouro.

10

Conjunções: completo e incompleto (convergente e divergente, concórdia e discórdia, e de todas as coisas, um e de um, todas as coisas).

11

Tudo, pois, que rasteja, partilha da terra.

12

Para os que entram nos mesmos rios, afluem sempre outras águas; mas do úmido exalam também os vapores.

13

(os porcos) se comprazem na lama (mais do que na água limpa).

14

(Para quem profetiza Heráclito?): para os errantes noturnos, os magos, os bacantes, as mênades, os mistas. [...] É sem piedade que se iniciam nos mistérios em voga entre os homens.

15

εἰ μὴ Διονύσῳ πομπὴν ἐποιοῦντο καὶ ὕμνεον ᾆσμα αἰδοίοισιν, ἀναιδέστατα εἴργασται, ὡυτὸς δὲ Ἀίδης καὶ Διόνυσος, ὅτεῳ μαίνονται καὶ ληναΐζουσιν.

16

τὸ μὴ δῦνόν ποτε πῶς ἄν τις λάθοι;

17

οὐ φρονέουσι τοιαῦτα πολλοί, ὁκόσοι ἐγκυρσεῦουσιν, οὐδὲ μαθόντες γινώσκουσιν, ἑωυτοῖσι δὲ δοκέουσι.

18

ἐὰν μὴ ἔλπηται, ἀνέλπιστον οὐκ ἐξευρήσει, ἀνεξερεύνητον ἐὸν καὶ ἄπορον.

19

ἀκοῦσαι οὐκ ἐπιστάμενοι οὐδ' εἰπεῖν.

20

γενόμενοι ζώειν ἐθέλουσι μόρους τ'ἔχειν, μᾶλλον δὲ ἀναπαύεσθαι, καὶ παῖδας καταλείπουσι μόρους γενέσθαι.

21

θάνατός ἐστιν ὁκόσα ἐγερθέντες ὁρέομεν, ὁκόσα δὲ εὕδοντες ὕπνος.

15

Não fosse para Dionísio a procissão que fazem e o hino, que entoam com as vergonhas sagradas, praticariam a coisa mais monstruosa. Mas Hades e Dionísio é o mesmo, para quem deliram e festejam.

16

Como alguém poderia manter-se encoberto face ao que nunca se deita?

17

Não percebem estas coisas tais quais são, quantos as encontram em seu caminho, e ainda que aprendidas não discernem; é para si mesmos que aparecem.

18

Se não se espera, não se encontra o inesperado, sendo sem caminho de encontro nem vias de acesso.

19

Não sabendo auscultar, não sabem falar.

20

Nascidos consentem em viver e partilhar da vida, mais ainda, porém, em repousar, e deixam assim filhos, para nascerem outras participações.

21

Morte, tudo que vemos acordados, sono, o que vemos adormecidos.

22

χρυσὸν οἱ διζήμενοι γῆν πολλὴν ὀρύσσονσι καὶ εὑρίσκουσιν ὀλίγον.

23

Δίκης ὄνομα οὐκ ἂν ἔδησαν, εἰ ταῦτα μὴ ἦν.

24

ἀρηϊφάτους θεοὶ τιμῶσι καὶ ἄνθρωποι.

25

μόροι μέζονες μέζονας μοίρας λαγχάνουσι.

26

ἄνθρωπος ἐν εὐφρόνῃ φάος ἅπτεται, ἑαυτῷ ἀποθανὼν, ἀποσβεσθεὶς ὄψεις. (ζῶν δὲ ἅπτεται τεθνεῶτος εὕδων, ἀποσβεσθεὶς ὄψεις) ἐγρηγορὼς ἅπτεται εὕδοντος.

27

ἀνθρὼπους μένει ἀποθανόντας ἅσσα οὐκ ἔλπονται οὐδὲ δοκέουσιν.

28

δοκεόντων ὁ δοκιμώτατος γινώσκει φυλάσσειν. δίκη καταλήψεται ψευδῶν τέκτονας καὶ μάρτυρας.

29

αἱρεῦνται ἓν ἀντὶ ἁπάντων οἱ ἄριστοι, κλέος ἀέναον θνητῶν:

οἱ δὲ πολλοὶ κεκόρηνται ὅκωσπερ κτήνεα.

22

Os que procuram ouro, cavam muita terra e encontram pouco.

23

Não houvesse tais coisas, não re-colheriam o nome da justiça.

24

Aos mortos de Ares honram os deuses e os homens.

25

Maiores partes de vida obtêm maiores partes de viver.

26

O homem toca a luz na noite, quando com visão extinta está morto para si; mas vivendo, toca o morto, quando com visão extinta dorme; na vigília toca o adormecido.

27

Na morte advém aos homens o que não esperam nem imaginam.

28

O mais conhecido decide das coisas reconhecidas para conservar; mas a justiça saberá apossar-se dos artesões e testemunhas de mentiras.

29

Uma coisa a todas as outras preferem os melhores: a glória sempre brilhante dos mortais; a multidão está saturada como o gado.

30

κόσμον, τὸν αὐτὸν ἁπάντων, οὔτε τις θεῶν οὔτε ἀνθρώπων ἐποίησεν, ἀλλ' ἦν ἀεὶ καὶ ἔστιν καὶ ἔσται, πῦρ ἀείζωον ἁπτόμενον μέτρα καὶ ἀποσβεννύμενον μέτρα.

31

πυρὸς τροπαὶ: πρῶτον θάλασσα, θαλάσσης δὲ τὸ μὲν ἥμισυ γῆ, τὸ δὲ ἥμισυ πρηστήρ. θάλασσα διαχέεται καὶ μετρέεται εἰς τὸν αὐτὸν λόγον ὁκοῖος πρῶτον ἦν.

32

ἓν τὸ σοφὸν μοῦνον λέγεσθαι οὐκ ἐθέλει καὶ ἐθέλει Ζηνὸς ὄνομα.

33

νόμος καὶ βουλῇ πείθεσθαι ἑνός.

34

ἀξύνετοι: ἀκούσαντες κωφοῖσιν ἐοίκασι. φάτις αὐτοῖσι μαρτυρεῖ παρεόντας ἀπεῖναι.

35

χρὴ εὖ μάλα πολλῶν ἵστορας φιλοσόφους ἄνδρας εἶναι.

36

ψυχῇσιν θάνατος ὕδωρ γενέσθαι, ὕδατι δὲ θάνατος γῆν γενέσθαι, ἐκ γῆς δὲ ὕδωρ γίνεται, ἐξ ὕδατος δὲ ψυχή.

30

O mundo, o mesmo em todos, nenhum dos deuses e nenhum dos homens o fez, mas sempre foi, é e será, fogo sempre vivo, acendendo segundo a medida e segundo a medida apagando.

31

Tropos do fogo: primeiro, mar; do mar, a metade terra, a metade vento ardente. O mar se estica de ponta a ponta e encontra sua medida de acordo com o mesmo *Logos* que era primeiro.

32

Um, o único sábio, não se dispõe e se dispõe a ser chamado com o nome de Zeus.

33

Lei, também a vontade de seguir uma só coisa.

34

Sem compreensão: ouvindo, parecem surdos, o dito lhes atesta: presentes estão ausentes.

35

É bem necessário serem os homens amantes da sabedoria para investigar muitas coisas.

36

Para os ventos, morte vem a ser água, para a água, morte vem a ser terra; mas da terra nasce água, da água, vento.

37

...si modo credimus Ephesio Heraclito qui ait sues caeno chortales aves pulvere lavari.

38

(θαλῆς) δοκεῖ δὲ κατά τινας πρῶτος ἀστρολογῆσαι... μαρτυρεῖ δὲ αὐτῷ καὶ Ἡράκλειτος καὶ Δημόκριτος.

39

ἐν Πριήνῃ βίας ἐγένετο ὁ Τευτάμεω, οὗ πλείων λόγος ἢ τῶν ἄλλων.

40

πολυμαθίη νόον οὐ διδάσκει, Ἡσίοδον γὰρ ἂν ἐδίδαξε καὶ Πυθαγόρην, αὖτίς τε Ξενοφάνεά τε καὶ Ἑκαταῖον.

41

ἓν τὸ σοφόν: ἐπίστασθαι γνώμην, ὁτέη, κυβερνῆσαι πάντα διὰ πάντων.

42

τόν γε Ὅμηρον ἄξιον ἐκ τῶν ἀγώνων ἐκβάλλεσθαι καὶ ῥαπίζεσθαι καὶ Ἀρχίλοχον ὁμοίως.

43

ὕβριν χρὴ σβεννύειν μᾶλλον ἢ πυρκαϊήν.

44

μάχεσθαι χρὴ τὸν δῆμον ὑπὲρ τοῦ νόμου ὑπὲρ τοῦ γινομένου ὅκως ὑπὲρ τείχεος.

37

(Os porcos se lavam na lama, as aves de baixo curso, no pó).

38

(Tales parece, segundo alguns, haver sido o primeiro a investigar os astros... Heráclito e Demócrito são testemunhas).

39

Em Priene nasceu Bias, filho de Teutames, sua fama é maior do que a dos outros.

40

Muito saber não ensina sabedoria, pois teria ensinado a Hesíodo e Pitágoras, a Xenófanes e Hecateu.

41

Um, o saber: compreender que o pensamento, em qualquer tempo, dirige tudo através de tudo.

42

Este Homero deve ser expulso dos concursos e bastonado, este Arquíloco também.

43

É a presunção que deve ser apagada mais do que incêndio.

44

O povo deve lutar pela lei em processo, como pelas muralhas.

45

ψυχῆς πείρατα ἰὼν οὐκ ἂν ἐξεύροι ὁ πᾶσαν ἐπιπορευόμενος ὁδόν οὕτω βαθὺν λόγον ἔχει.

46

τήν τ' οἴησιν ἱερὰν νόσον ἔλεγε καὶ τὴν ὅρασιν ψεύδεσθαι.

47

Μὴ εἰκῆ περὶ τῶν μεγίστων συμβαλλώμεθα.

48

τῷ τόξῳ ὄνομα βίος, ἔργον δὲ θάνατος.

49

εἷς μύριοι, ἐὰν ἄριστος ἦ.

49a

ποταμοῖς τοῖς αὐτοῖς ἐμβαίνομέν τε καὶ οὐκ ἐμβαίνομεν, ἦμεν τε καὶ οὐκ εἶμεν.

50

οὐκ ἐμοῦ ἀλλὰ τοῦ λόγου ἀκούσαντας ὁμολογεῖν σοφόν ἐστιν ἓν πάντα εἶναι.

51

οὐ ξυνιᾶσιν ὅκως διαφερόμενον ἑωυτῷ ὁμολογέει: παλίντροπος ἁρμονίη ὅκωσπερ τόξου καὶ λύρης.

45

Não encontraria a caminho os limites da vida mesmo quem percorresse todos os caminhos, tão profundo é o *Logos* que possui.

46

(E chamava a autossuficiência de doença sagrada e (dizia) que a visão induz a erro).

47

Nas grandes coisas não nos acordemos apressadamente.

48

O arco tem por nome a vida, por obra, a morte.

49

Um para mim vale mil, se for o melhor.

49a

No mesmo rio entramos e não entramos; somos e não somos.

50

Auscultando não a mim, mas o *Logos*, é sábio concordar que tudo é um.

51

Não compreendem, como concorda o que de si difere: harmonia de movimentos contrários, como do arco e da lira.

52

αἰὼν παῖς ἐστι παίζων, πεσσεύων; παιδὸς ἡ βασιληίη.

53

πόλεμος πάντων μὲν πατήρ ἐστι, πάντων δὲ βασιλεύς καὶ τοὺς μὲν θεοὺς ἔδειξε, τοὺς δὲ ἀνθρώπους, τοὺς μὲν δούλους ἐποίησε, τοὺς δὲ ἐλευθέρους.

54

ἁρμονίη ἀφανὴς φανερῆς κρείττων.

55

ὅσων ὄψις ἀκοὴ μάθησις, ταῦτα ἐγὼ προτιμέω.

56

ἐξηπάτηνται οἱ ἄνθρωποι πρὸς τὴν γνῶσιν τῶν φανερῶν παραπλησίως Ὁμήρῳ, ὃς ἐγένετο τῶν Ἑλλήνων σοφώτερος πάντων. ἐκεῖνόν τε γὰρ παῖδες φθεῖρας κατακτείνοντες ἐξηπάτησαν εἰπόντες: ὅσα εἴδομεν καὶ κατελάβομεν, ταῦτα ἀπολείπομεν, ὅσα δὲ οὔτε εἴδομεν ουτ᾽ἐλάβομεν, ταῦτα φέρομεν.

57

διδάσκαλος πλείστων Ἡσίοδος; τοῦτον ἐπίστανται πλεῖστα εἰδέναι, ὅστις ἡμέρην καὶ εὐφρόνην οὐκ ἐγίνωσκεν, ἔστι γὰρ ἕν.

58

οἱ ἰατροὶ τέμνοντες, καίοντες, πάντῃ βασανίζοντες, κακῶς τοὺς ἀρρωστοῦντας, ἐπαιτῶνται μηδὲν ἄξιον μισθὸν λαμβάνειν, παρὰ τῶν ἀρρωστούντων, ταὐτὰ ἐργαζόμενοι, τὰ ἀγαθὰ καὶ τὰς νόσους.

52

O tempo é uma criança, criando, jogando o jogo de pedras; vigência da criança.

53

De todas as coisas a guerra é pai, de todas as coisas é senhor; a uns mostrou deuses, a outros, homens; de uns fez escravos, de outros, livres.

54

A harmonia invisível é mais forte do que a visível.

55

O que prefiro é o que aprende a visão, a audição.

56

Em seu esforço para conhecer o visível, os homens são ludibriados como Homero, mais sagaz do que todos os gregos. Pois é a ele que ludibriaram os garotos que matavam piolhos, dizendo: "Tudo, que vimos e pegamos, deixamos; tudo, que não vimos nem pegamos, trouxemos conosco".

57

O mestre de quase todos, Hesíodo; estão convencidos de que ele sabe quase tudo, ele, que não distinguia dia e noite; pois se dá a unidade.

58

Cortando, queimando e atormentando de todos os modos, os médicos acusam indevidamente os doentes de não pagarem, de forma alguma, a remuneração merecida; pois o que operam nos doentes são o sucesso e as doenças.

59

γραφέων ὁδὸς εὐθεῖα καὶ σκολιή.

60

ὁδὸς: ἄνω κάτω μία καὶ ὡυτή.

61

Θάλασσα, ὕδωρ καθαρώτατον καὶ μιαρώτατον. ἰχθύσι μὲν πότιμον καὶ σωτήριον, ἀνθρώποις δὲ ἄποτον καὶ ὀλέθριον.

62

ἀθάνατοι θνητοί, θνητοὶ ἀθάνατοι, ζῶντες τὸν ἐκείνων θάνατον, τὸν δὲ ἐκείνων βίον τεθνεῶτες.

63

ἔνθα δ᾽ ἐόντι ἐπανίστασθαι καὶ φύλακες γίνεσθαι ἐγερτὶ ζώντων καὶ νεκρῶν.

64

τάδε πάντα οἰακίζει κεραυνός.

65

χρησμοσύνη καὶ κόρος.

66

πάντα τὸ πῦρ ἐπελθὸν κρινεῖ καὶ καταλήψεται.

59

O caminho dos pintores, reto e curvo.

60

Caminho: para cima, para baixo, um e o mesmo.

61

O mar, água, a mais pura e a mais impura. Para os peixes, potável e vivificante, para os homens, não potável e mortal.

62

Imortais mortais, Mortais imortais, vivendo a morte dos outros, morrendo a vida dos outros.

63

Insurgir-se contra os seres e assim fazer-se pastores dos vivos da vigília e dos mortos.

64

O raio conduz todas as coisas que são.

65

Indigência e saciedade.

66

O fogo, sobrevindo, há de distinguir e reunir todas as coisas.

67

ὁ θεὸς: ἡμέρη εὐφρόνη, χειμὼν θέρος, πόλεμος εἰρήνη, κόρος λιμός, ἀλλοιοῦται δὲ ὅκωσπερ, ὁπόταν συμμιγῇ θυώμασιν, ὀνομάζεται καθ' ἡδονὴν ἑκάστου.

67a

Sicut aranea, ait, stans in medio telae sentit quam cito musca aliquem filum suum corrumpit itaque illuc celeriter currit quasi de fili perfectione dolens, sic hominis anima aliqua parte corporis laesa, illuc festine meat, quase impatiens laesionis corporis, cui firme et proportionaliter iuncta est.

68

καὶ διὰ τοῦτο εἰκότως αὐτὰ (scil. τὰ ἱερὰ θεάματά τινα καὶ ἀκούσματα τῶν αἰσχρῶν) "ἄκεα" Ἡράκλειτος προσεῖπεν ὡς ἐξακούμενα τὰ δεινὰ καὶ τὰς ψυχὰς ἐξάντες ἀπεργαξόμενα τῶν ἐν τῇ γενέσει συμνφρῶν.

69

καὶ θυσιῶν τοίνυν τίθημι διττὰ εἴδη: τὰ μὲν τῶν ἀποκεκαθαρμένων παντάπασιν ἀνθρώπων, οἷα ἐφ' ἑνὸς ἄν ποτε γένοιτο σπανίως, ὥς φησιν Ἡράκλειτος ἤ τινων ὀλίγων εὐαριθμήτων ἀνδρῶν, τὰ δ' ἔνυλα...

70

Ἡράκλειτος παίδων ἀθύρματα νενόμικεν εἶναι τὰ ἀνθρώπινα δοξάσματα.

71

μεμνῆσθαι δὲ καὶ τοῦ ἐπιλανθανομένου ᾗ ἡ ὁδὸς ἄγει.

67

O mistério: dia-noite, inverno-verão, guerra-paz, saciedade-fome, cada vez que entre fumaça recebe um nome segundo o gosto de cada um, se apresenta diferente.

67a

Como a aranha no centro da teia logo sente, quando uma mosca rompe um fio, e assim acorre pressurosa para lá, como temendo pela integridade do fio, assim também a vida humana, ferida alguma parte do corpo, se dirige rápido para lá como se não suportasse a lesão do corpo, ao qual está unida firmemente e segundo certa proporção.

68

E é por isso que Heráclito chamava de "remédios" tais coisas (a saber, alguns espetáculos e audições indecentes) por trazerem remédio à angústia e liberarem a mente do que traz consigo no crescimento.

69

Estabeleço, pois, duas espécies de sacrifícios: uns, dos homens inteiramente purificados, tais que raramente se dão a um indivíduo singular, como diz Heráclito, ou a alguns poucos homens, que facilmente se contam nos dedos, que ficam na matéria...

70

(Heráclito diz que as ideias dos homens são) jogos de criança.

71

(Ter presente também) aquele para quem está ausente aonde conduz o caminho.

72

ᾧ μάλισται διηνεκῶς ὁμιλοῦσι, τούτῳ διαφέρονται, καὶ οἷς καθ' ἡμέραν ἐγκυροῦσι, ταῦτα αὐτοῖς ξένα φαίνεται.

73

(καὶ ὅτι) οὐ δεῖ ὥσπερ καθεύδοντας, ποιεῖν καὶ λέγειν.

74

(μεμνῆσθαι) ὅτι οὐ δεῖ (ὡς) παῖδας ἱοκέων ὢν, τοῦτ' ἔστι κατὰ ψιλόν, καθότι παρειλήφαμεν.

75

καὶ τοὺς καθεύδοντας (οἶμαι ὁ Ἡράκλειτος) ἐργάτας εἶναι (λέγει καὶ συνεργοὺς τῶν ἐν τῷ κόσμῳ γινομένων).

76

ὅτι γῆς θάνατος ὕδωρ γενέσθαι καὶ ὕδατος θάνατος ἀέρα γενέσθαι καὶ ἀέρος πῦρ καὶ ἔμπαλιν.

77

ψυχῇσι τέρψις; μὴ θάνατον ὑγρῇσι γενέσθαι... ζῆν ἡμᾶς τὸν ἐκείνων θάνατον καὶ ζῆν ἐκείνας τὸν ἡμέτερον θάνατον.

78

ἦθος ἀνθρώπειον μὲν οὐκ ἔχει γνώμας θεῖον δὲ ἔχει.

79

ἀνὴρ νήπιος ἤκουσε πρὸς δαίμονος ὅκωσπερ παῖς πρὸς ἀνδρός.

72

Do *Logos* com que sempre lidam se afastam, e por isso as coisas que encontram lhes parecem estranhas.

73

Não é para se falar e agir dormindo.

74

Não é para ser (como) crianças de seus genitores, a saber em termos simples: como nos ocorre.

75

E os que dormem, também são operários (...e cooperam nas obras que acontecem no mundo).

76

(A morte da terra é tornar-se água; a morte da água, tornar-se ar; e a do ar tornar-se fogo, e vice-versa).

77

Para os alentos prazer é não haver morte, quando se fazem úmidos.

78

A morada do homem não tem controle, a divina tem.

79

A partir do extraordinário o homem, infantil, como a partir do homem, a criança.

80

εἰ δὲ χρή, τὸν πόλεμον, ἐόντα ξυνόν, καὶ δίκην ἔριν, καὶ γινόμενα πάντα κατ' ἔριν, καὶ χρεώμενα.

81

...κοπίδων ἀρχηγός.

82

πιθήκων ὁ κάλλιστος αἰσχρός.

83

ἀνθρώπων ὁ σοφώτατος πρὸς θεὸν πίθηκος (φανεῖται καὶ σοφίᾳ καὶ κάλλει καὶ τοῖς ἄλλοις πᾶσιν).

84

μεταβάλλον ἀναπαύεται.

84a

κάματός ἐστι τοῖς αὐτοῖς μοχθεῖν καὶ ἄρχεσθαι.

85

χαλεπὸν θυμῷ μάχεσθαι, ψυχῆς γὰρ ὠνεῖται.

86

ἀπιστίῃ διαφυγγάνει μὴ γιγνώσκεσθαι.

87

βλὰξ ἄνθρωπος ἐπὶ παντὶ λόγῳ φιλεῖ ἐπτοῆσθαι.

80

Se há necessidade é a guerra, que reúne, e a justiça, que desune, e tudo, que se fizer pela desunião, é também necessidade.

81

...fonte do embuste.

82

(O macaco mais belo é feio).

83

O mais sábio dos homens, comparado com Deus, parecerá um macaco (tanto na ciência como na beleza, como em tudo o mais).

84

Transformando-se, repousa.

84a

É penoso atormentar e obedecer aos mesmos.

85

Lutar contra o coração é difícil, pois se paga com vida.

86

Incredulidade foge para não ser reconhecida.

87

Indolente, o homem se deixa espantar pelo *Logos* em tudo.

88

ταὐτό γ' ἔνι ζῶν καὶ τεθνηκός, καὶ τὸ ἐγρηγορὸς καὶ το καθεῦδον, καὶ νέον καὶ γηραιόν: τάδε γὰρ μεταπεσόντα ἐκεῖνά ἐστι, κἀκεῖνα πάλιν μεταπεσόντα ταῦτα.

89

(...φησι) τοῖς ἐγρηγορόσιν ἕνα καὶ κοινὸν κόσμον εἶναι, τῶν δὲ κοιμωμένων ἕκαστον εἰς ἴδιον ἀναστρέφεσθαι.

90

πυρός τε ἀνταμείβεται πάντα καὶ πῦρ ἀπάντων ὅκωσπερ χρυσοῦ χρήματα καὶ χρημάτων χρυσός.

91

ποταμῷ οὐκ ἔστιν ἐμβῆναι δὶς τῷ αὐτῷ.

92

Σίβυλλα δὲ μαινομένῳ στόματι ἀγέλαστα καὶ ἀκαλλώπιστα καὶ ἀμύριστα φθεγγομένη χιλίων ἐτῶν ἐξικνεῖται τῇ φωνῇ δὶα τὸν θεόν.

93

ὁ ἄναξ οὗ τὸ μαντεῖόν ἐστι τὸ ἐν Δελφοῖς οὔτε λέγει οὔτε κρύπτει ἀλλὰ σημαίνει.

94

Ἥλιος οὐχ ὑπερβήσεται μέτρα; εἰ δὲ μή, Ἐρινύες μιν Δίκης ἐπίκουροι ἐξευρήσουσιν.

95

ἀμαθίη κρύπτεον ἄμεινον.

88

O mesmo é vivo e morto, vivendo-morrendo a vigília e o sono, tanto novo como velho: pois estes se alterando são aqueles, e aqueles se modificando são estes.

89

Os homens acordados têm um mundo só que é comum (enquanto cada um dos que dormem se voltam para seu mundo particular).

90

Pelo fogo tudo se troca e por tudo, o fogo; como pelo ouro, as mercadorias e pelas mercadorias, o ouro.

91

Não se pode entrar duas vezes no mesmo rio.

92

A Sibila, com voz delirante, fala entre caretas...

93

O autor, de quem é o Oráculo de Delfos, não diz nem subtrai nada, assinala o retraimento.

94

O sol não ultrapassará as medidas; se o fizer, as Eríneas, ajudantes de Dike, o encontrarão.

95

E melhor que a ignorância encubra.

96

νέκυες κοπρίων ἐκβλητότεροι.

97

κύνες καὶ βαΰζουσιν ὃν ἂν μὴ γιγνώσκωσιν.

98

αἱ ψυχαὶ ὀσμῶνται καθ' Ἅιδην.

99

ἡλίου μὴ ὄντος, ἕνεκα τῶν ἄλλων ἄστρων εὐφρόνη ἂν ἦν.

100

(...ὧν ὁ ἥλιος ἐπιστάτης ὢν καὶ σκοπὸς ὁρίζειν καὶ βραβεύειν καὶ ἀναδεικνύναι καὶ ἀναφαίνειν μεταβολὰς καὶ ὥρας αἳ πάντα φέρουσι καθ' Ἡράκλειτον, οὐ φαύλων οὐδὲ μικρῶν ἀλλὰ τῶν μεγίστων καὶ κυριωτάτων τῷ ἡγεμόνι καὶ πρώτῳ θεῷ γίγνεται συνεργός).

101

ἐδιζησάμην ἐμεωυτόν.

101a

Ὀφθαλμοὶ γὰρ τῶν ὤτων ἀκριβέστεροι μάρτυρες.

102

τῷ μὲν θεῷ καλὰ πάντα καὶ ἀγαθὰ καὶ δίκαια, ἄνθρωποι δὲ ἃ μὲν ἄδικα ὑπειλήφασιν ἃ δὲ δίκαια.

96

Mais do que excremento, deve-se jogar fora os cadáveres.

97

Os cães também ladram para quem não conhecem.

98

Os alentos sentem odores segundo o invisível.

99

Não havendo sol, havia noite pelos outros astros.

100

(Limites e revoluções, em que o sol, preposto e vigia, para de-finir e arbitrar, revelar e fazer aparecerem as mudanças e estações, que trazem tudo, como diz Heráclito, colabora não nas coisas vis e pequenas, mas nas maiores e nas mais essenciais, associado ao guia e Deus principal).

101

Eu me busco a mim mesmo.

101a

Com efeito, os olhos são testemunhas mais preciosas do que as orelhas.

102

Para o Deus, tudo é belo e bom e justo. Os homens, porém, tomam umas coisas por injustas, outras por justas.

103

ξυνὸν ἀρχὴ καὶ πέρας ἐπὶ κύκλου περιφερείας.

104

τίς γὰρ αὐτῶν νόος ἢ φρήν; δήμων ἀοιδοῖσιν ἠπιόωνται καὶ διδασκάλῳ χρείωνται ὁμίλῳ οὐκ εἰδότες ὅτι οἱ πολλοὶ κακοί, ὀλίγοι δὲ ἀγαθοί.

105

(Ἡράκλειτος ἐντεῦθεν ἀστρολόγον φησὶ Ὅμηρον καὶ ἐν οἷς φησι...).

106

φύσις ἡμέρας ἁπάσης μία.

107

κακοὶ μάρτυρες ἀνθρώποισιν ὀφθαλμοὶ καὶ ὦτα βαρβάρους ψυχὰς ἐχόντων.

108

ὁκόσων λόγους ἤκουσα οὐδεὶς ἀφικνεῖται ἐς τοῦτο ὥστε γινώσκειν ὅτι σοφόν ἐστι, πάντων κεχωρισμένον.

109 = 95

110

ἀνθρώποις γίγνεσθαι ὁκόσα θέλουσιν οὐκ ἄμεινον.

103

Princípio e fim se reúnem na circunferência do círculo.

104

O que é, pois, a inteligência deles senão diafragma? Deixam-se levar pelos cantores dos demos e ensinar pela multidão, não vendo que a maioria é má e a minoria, boa.

105

(Daí dizer Heráclito que Homero é um astrônomo e dos versos...)

106

O vigor de cada dia é um.

107

Para os homens, os olhos e as orelhas dos que têm mentes bárbaras são más testemunhas.

108

De quantos ouvi os discursos, nenhum chega a ponto de saber o que, separado de tudo, é o sábio.

109 = 95

110

Não é melhor para os homens que lhes aconteça tudo que eles querem.

111

νοῦσος ὑγιείην ἐποίησεν ἡδὺ καὶ ἀγαθόν, λιμὸς κόρον, κάματος ἀνάπαυσιν.

112

σωφρονεῖν ἀρετὴ μεγίστη, καὶ σοφίη ἀληθέα λέγειν καὶ ποιεῖν κατὰ φύσιν ἐπαΐοντας.

113

ξυνόν ἐστι πᾶσι τὸ φρονέειν.

114

ξὺν νόῳ λέγοντας ἰσχυρίζεσθαι χρὴ τῷ ξυνῷ πάντων, ὅκωσπερ νόμῳ πόλις καὶ πολὺ ἰσχυρωτέρως. τρέφονται γὰρ πάντες οἱ ἀνθρώπειοι νόμοι ὑπὸ ἑνὸς τοῦ θείου. κρατεῖ γὰρ τοσοῦτον ὁκόσον ἐθέλει καὶ ἐξαρκεῖ καὶ πᾶσι καὶ περιγίνεται.

115

ψυχῆς ἐστι λόγος ἑαυτὸν αὔξων.

116

ἀνθρώποισι πᾶσι μέτεστι γιγνώσκειν ἑαυτοὺς καὶ σωφρονεῖν.

117

ἀνὴρ ὁκόταν μεθυσθῇ ἄγεται ὑπὸ παιδὸς ἀνήβου σφαλλόμενος, οὐκ ἐπαΐων ὅκη βαίνει, ὑγρὴν τὴν ψυχὴν ἔχων.

118

αὐγὴ ξηρὴ ψυχή, σοφωτάτη καὶ ἀρίστη.

111

A doença faz da saúde coisa boa e agradável; a fome da saciedade; a fadiga do repouso.

112

Pensar é a maior coragem, e a sabedoria, acolher a verdade e fazer com que se ausculte ao longo do vigor.

113

Pensar reúne tudo.

114

Para falar com recolhimento é necessário concentrar-se na reunião de tudo, como a cidade na lei, e com maior concentração ainda. Pois todas as leis dos homens se alimentam de uma lei una, a divina; é que esta impera o quanto se dispõe, basta e excede a todas.

115

A vida tem um *Logos* que se aumenta a si mesmo.

116

É dado a todos os homens conhecer-se a si mesmos e pensar.

117

Bêbado, o homem feito é levado por uma criança imatura; cambaleante, não vê onde pisa, tendo um alento úmido.

118

Desabrochar: alento seco, o mais sábio e o mais vigoroso.

119

ἦθος ἀνθρώπου δαίμων.

120

ἠοῦς καὶ ἑσπέρας τέρματα ἡ ἄρκτος καὶ ἀντίον τῆς ἄρκτου οὖρος αἰθρίου Διός.

121

ἄξιον Ἐφεσίοις ἡβηδὸν ἀποθανεῖν πᾶσι καὶ τοῖς ἀνήβοις τὴν πόλιν καταλιπεῖν, οἵτινες Ἑρμόδωρον ἑωυτῶν ὀνήιστον ἐξέβαλον λέγοντες: ἡμέων μηδὲ εἷς ὀνήιστος ἔστω, εἰ δέ τις τὸιοῦτος, ἄλλη τε καὶ μετ' ἄλλων.

122

καὶ ἀγχιβασίην (Ἡράκλειτος).

123

φύσις κρύπτεσθαι φιλεῖ.

124

εἰκῆ κεχυμένων ὁ κάλλιστος ὁ κόσμος.

125

καὶ ὁ κυκεὼν διίσταται κινούμενος.

125a

μὴ ἐπιλίποι ὑμῖν πλοῦτος, Ἐφέσιοι, ἵν' ἐξελέγχοισθε πονηρευόμενοι.

119

A morada do homem, o extraordinário.

120

Os termos da aurora e do acaso: a Ursa e, frente à Ursa, o marco do Deus do Raio.

121

É justo que todos os efésios adultos sejam mortos e os menores abandonem a cidade, eles que baniram Hermodoro, seu melhor homem, dizendo: nenhum de nós será o melhor; mas se alguém o for, então que seja alhures e entre outros.

122

(E Heráclito diz) aproximação.

123

Surgimento já tende ao encobrimento.

124

De coisas lançadas ao acaso, o arranjo mais belo, o cosmos.

125

E ele próprio, o ciceão, se desintegra, quando agitado.

125a

Que a riqueza não vos venha a faltar, Efésios, a fim de vossa miséria desvendar-se toda.

126

(τὰ ψυχρὰ θέρεται, θερμὸν ψύχρεται, ὑγρὸν αὐαίνεται, καρφαλέον νοτίζεται.

126

(O frio se esquenta, o quente se esfria, o úmido seca, o seco se umidifica).

Vozes de Bolso

- *Assim falava Zaratustra* – Friedrich Nietzsche
- *O Príncipe* – Nicolau Maquiavel
- *Confissões* – Santo Agostinho
- *Brasil: nunca mais* – Mitra Arquidiocesana de São Paulo
- *A arte da guerra* – Sun Tzu
- *O conceito de angústia* – Søren Aabye Kierkegaard
- *Manifesto do Partido Comunista* – Friedrich Engels e Karl Marx
- *Imitação de Cristo* – Tomás de Kempis
- *O homem à procura de si mesmo* – Rollo May
- *O existencialismo é um humanismo* – Jean-Paul Sartre
- *Além do bem e do mal* – Friedrich Nietzsche
- *O abolicionismo* – Joaquim Nabuco
- *Filoteia* – São Francisco de Sales
- *Jesus Cristo Libertador* – Leonardo Boff
- *A Cidade de Deus – Parte I* – Santo Agostinho
- *A Cidade de Deus – Parte II* – Santo Agostinho
- *O conceito de ironia constantemente referido a Sócrates* – Søren Aabye Kierkegaard
- *Tratado sobre a clemência* – Sêneca
- *O ente e a essência* – Santo Tomás de Aquino
- *Sobre a potencialidade da alma* – De quantitate animae – Santo Agostinho
- *Sobre a vida feliz* – Santo Agostinho
- *Contra os acadêmicos* – Santo Agostinho
- *A Cidade do Sol* – Tommaso Campanella
- *Crepúsculo dos ídolos ou Como se filosofa com o martelo* – Friedrich Nietzsche
- *A essência da filosofia* – Wilhelm Dilthey
- *Elogio da loucura* – Erasmo de Roterdã
- *Linguagem corporal em 30 minutos* – Monika Matschnig
- *Utopia* – Thomas Morus
- *Do contrato social* – Jean-Jacques Rousseau
- *Discurso sobre a economia política* – Jean-Jacques Rousseau
- *Vontade de potência* – Friedrich Nietzsche
- *A genealogia da moral* – Friedrich Nietzsche
- *O banquete* – Platão
- *Os pensadores originários* – Anaximandro, Parmênides, Heráclito
- *A arte de ter razão* – Arthur Schopenhauer
- *Discurso sobre o método* – René Descartes
- *Que é isto – A filosofia?* – Martin Heidegger
- *Identidade e diferença* – Martin Heidegger
- *Sobre a mentira* – Santo Agostinho
- *Da arte da guerra* – Nicolau Maquiavel
- *Os direitos do homem* – Thomas Paine

- *Sobre a liberdade* – John Stuart Mill
- *Defensor menor* – Marsílio de Pádua
- *Tratado sobre o regime e o governo da cidade de Florença* – J. Savonarola
- *Primeiros princípios metafísicos da Doutrina do Direito* – Immanuel Kant
- *Carta sobre a tolerância* – John Locke
- *A desobediência civil* – Henry David Thoureau
- *A ideologia alemã* – Karl Marx e Friedrich Engels
- *O conspirador* – Nicolau Maquiavel
- *Discurso de metafísica* – Gottfried Wilhelm Leibniz
- *Segundo tratado sobre o governo civil e outros escritos* – John Locke
- *Miséria da filosofia* – Karl Marx
- *Escritos seletos* – Martinho Lutero
- *Escritos seletos* – João Calvino
- *Que é a literatura?* – Jean-Paul Sartre
- *Dos delitos e das penas* – Cesare Beccaria
- *O anticristo* – Friedrich Nietzsche
- *À paz perpétua* – Immanuel Kant
- *A ética protestante e o espírito do capitalismo* – Max Weber
- *Apologia de Sócrates* – Platão
- *Da república* – Cícero
- *O socialismo humanista* – Che Guevara
- *Da alma* – Aristóteles
- *Heróis e maravilhas* – Jacques Le Goff
- *Apologia de Sócrates* – Platão

Coleção Chaves de Leitura

Coordenador: Robinson dos Santos

A Coleção se propõe a oferecer "chaves de leitura" às principais obras filosóficas de todos os tempos, da Antiguidade Grega à Era Moderna e aos contemporâneos. Distingue-se ela do padrão de outras introduções por ter em perspectiva a exposição clara e sucinta das ideias-chave, dos principais temas presentes na obra e dos argumentos desenvolvidos pelo autor. Ao mesmo tempo, não abre mão do contexto histórico e da herança filosófica que lhe é pertinente. As obras da Coleção Chaves de Leitura, não pressupõem um conhecimento filosófico prévio, atendendo, dessa forma, perfeitamente ao estudante de graduação e ao leitor interessado em conhecer e estudar os grandes clássicos da Filosofia.

Coleção Chaves de Leitura:

- *Fundamentação da metafísica dos costumes – Uma chave de leitura*
  Sally Sedgwick
- *Fenomenologia do espírito – Uma chave de leitura*
  Ralf Ludwig
- *O príncipe – Uma chave de leitura*
  Miguel Vatter
- *Assim falava Zaratustra – Uma chave de leitura*
  Rüdiger Schmidt e Cord Spreckelsen
- *A república – Uma chave de leitura*
  Nickolas Pappas
- *Ser e tempo – Uma chave de leitura*
  Paul Gorner

Coleção Chaves de Leitura

Coordenação: Robinson dos Santos

[illegible]

EDITORA
VOZES
Editorial